LE COMMUNIQUÉ

Le communiqué ou l'art de faire parler de soi,
1re édition, Montréal, VLB éditeur, 1990.
2e édition, Québec, Les Presses de l'Université Laval, 1997.

La crise d'octobre et le miroir à dix faces,
Montréal, VLB éditeur, 1990.

Media, Crisis and Democracy (en collaboration avec
Marc Raboy), Londres, Sage, 1992.

La conférence de presse ou l'art de faire parler les autres,
Québec, Les Presses de l'Université Laval, 1996.

Le plan de communication. L'art de séduire ou de convaincre les autres,
Québec, Les Presses de l'Université Laval, 1998.

Le métier de relationniste,
Québec, Les Presses de l'Université Laval, 1999.

Bernard Dagenais

LE COMMUNIQUÉ
ou l'art de faire parler de soi

NOUVELLE ÉDITION

Les Presses de l'Université Laval
Sainte-Foy, 1997

Les Presses de l'Université Laval reçoivent chaque année de la Société de développement des entreprises culturelles du Québec une aide financière pour l'ensemble de leur programme de publication.

Données de catalogage avant publication (Canada)

Dagenais, Bernard

    Le communiqué, ou, l'art de faire parler de soi

    2e éd. rev. et corr.
    Comprend des réf. bibliogr.

    ISBN 2-7637-7536-5

    1. Communiqués de presse. I. Titre. II. Titre : Art de faire parler de soi.
HM263.D33 1977   659.2   C97-940931-4

Infographie : Diane Trottier

2 e tirage 1999

Dans cet ouvrage, le masculin est utilisé comme représentant des deux sexes, sans discrimination à l'égard des hommes et des femmes et dans le seul but d'alléger le texte.

Distribution Univers
845, rue Marie-Victorin
Saint-Nicolas (Québec)
Canada G7A 3S8
Tél. (418) 831-7474 ou 1 800 859-7474
Téléc. (418) 831-4021

REMERCIEMENTS

L'auteur a bénéficié de la collaboration des étudiants et des étudiantes du Département d'information et de communication de l'Université Laval qui ont suivi le cours *Introduction aux relations publiques* et il leur en est reconnaissant. Ils ont attiré son attention sur une documentation abondante sur le communiqué.

La version finale du texte a été établie en tenant compte des nombreux commentaires que madame Nadine Girardville a formulés. Pour cette aide et le support qu'elle a apportés dans la réalisation de ce livre, nous tenons à lui exprimer toute notre gratitude.

Aux entreprises et aux individus qui ont prêté leur concours à la recherche d'exemples concrets pour illustrer cet ouvrage et dont les communiqués ou textes ont été reproduits ici, nous transmettons tous nos remerciements.

INTRODUCTION

Les médias d'information représentent un moyen extrêmement efficace pour diffuser toute idée et prise de position, pour annoncer des produits et des services, pour animer les enjeux sociaux, en somme, pour attirer l'attention sur tout objet et cause qu'une entreprise, tant publique que privée, désire partager.

C'est par eux que les gouvernements font connaître leurs décisions, que les organisations parlent à leurs membres et que les industries (qu'elles soient financières, culturelles, sportives ou autres) s'adressent à leur clientèle.

Toutes ces entreprises peuvent choisir l'emplacement et le message qu'elles souhaitent diffuser en réservant et en payant des espaces publicitaires dans le média de leur choix. Elles peuvent aussi bénéficier d'espaces gratuits en développant des relations de presse efficaces. Certaines d'entre elles, qui ne comptent que sur un budget restreint, n'ont que ce seul moyen pour faire connaître leur message. Et pour celles qui peuvent avoir recours à la publicité, les relations de presse demeurent une autre façon, parfois plus crédible que la publicité, de diffuser certains types de message.

De ce fait, les médias sont fortement sollicités par tous ceux qui veulent qu'on parle d'eux. Leurs journalistes reçoivent des tonnes d'informations qu'ils doivent regarder, lire, publier ou jeter. Et puisque ces médias jouent un rôle de plus en plus central dans l'opinion publique et en particulier dans la vie publique, les entreprises, organisations et institutions ont développé des stratégies pour y avoir accès.

Comment faire, alors, pour donner toutes les chances à un message d'être diffusé par les médias? Tel est l'objet de cet ouvrage.

Dans le domaine des relations de presse, il n'y a pas de recettes infaillibles, mais il existe un certain nombre de règles de base qu'il faut apprendre à connaître. Les faits et gestes de tout homme politique sont répétés de façon presque automatique parce qu'ainsi le veulent la tradition journalistique et le jeu de la démocratie. Par ailleurs, il est difficile pour certains organismes à but non lucratif d'attirer l'attention des médias s'ils ne savent pas mettre en valeur les éléments d'information dignes d'intérêt qu'ils possèdent.

Les artistes n'ont aucune difficulté à monopoliser autour d'eux l'ensemble des médias lors d'un nouveau spectacle. Le moindre toussotement d'une personnalité fait la manchette. Les matches sportifs sont couverts seconde par seconde. Mais d'autres partenaires sociaux, plus petits, plus discrets, n'arrivent même pas à faire parler d'eux une seule fois dans l'année.

Pour l'ensemble de ces entreprises, apprendre à connaître et à utiliser les éléments qui font la nouvelle devient une nécessité. Cet ouvrage présente l'une des techniques de communication employées dans les relations avec les médias et les journalistes, le communiqué de presse. La maîtrise de son utilisation peut faciliter la tâche de ceux qui veulent ou qui doivent transmettre des informations au public.

Cette deuxième édition est une version revue et corrigée de la première édition de 1990. L'évolution technologique a changé les pratiques des communicateurs, de nouveaux textes sur le communiqué sont venus s'ajouter à la documentation déjà intéressante sur le sujet et des précisions ont été apportées sur certains points peu traités dans la première édition. Il s'agit donc d'une mise à jour complète.

1

LES RÈGLES DE BASE

1. Comment se fabrique l'information

Les médias participent activement à la communication publique,
c'est-à-dire à la circulation de l'information essentielle au bon fonctionnement de la société. Pour le public auquel ils s'adressent, ils exercent
une fonction de surveillance du milieu, entretiennent une vocation critique et ludique et ont la tâche de hiérarchiser les informations qu'ils
diffusent. Ils assurent, en fait, le lien entre ceux qui animent les débats
sociaux et ceux qui en portent les conséquences en relatant les positions
des uns et des autres et en portant un jugement critique sur celles-ci.

De ce fait, une entreprise ne peut se permettre d'entendre un journaliste lui dire qu'il ne savait pas que telle décision avait été prise, que
tel événement se préparait ou que telle orientation avait été proposée.
Elle doit mandater une personne compétente pour s'assurer qu'en tout
temps, les journalistes soient prévenus de chaque changement dans la
vie de l'entreprise.

L'arrivée des informations dans les médias

Un très grand nombre de nouvelles arrivent dans les salles de rédaction de façon continue de diverses sources.

Les événements

L'événement mobilisateur est activé par l'actualité. La mort d'une personnalité, un accident qui fait d'innocentes victimes, le renversement d'un gouvernement dans un pays donné, toutes ces situations obtiennent l'attention première des médias. Pourquoi? Parce que la règle d'or dans les médias, inconsciente ou tacite, consiste à privilégier tout ce qui est un écart à la norme.

Lorsque, pour le journaliste, vient le temps de hiérarchiser les différents éléments d'actualité, il choisira ceux qui d'abord s'écartent avec le plus d'ampleur de la norme. Ainsi, la mort affronte la vie, l'incongru supplante le normal, le superflu condamne le quotidien.

Pour que le communiqué puisse survivre à travers les rudes contradictions du quotidien, il faut donc qu'il s'affirme de façon dynamique. Ce qui veut dire qu'il doit être construit en tenant compte, d'abord et avant tout, du principe de l'écart à la norme dans son expression.

Les journalistes

Viennent ensuite les informations produites par les journalistes eux-mêmes. Chaque jour, ils proposent des sujets à développer, des thèmes à explorer, des nouvelles à fouiller, des sources à vérifier. Ce sont eux qui sont les animateurs de la nouvelle. Dans certaines circonstances, on les a mis sur une piste de façon confidentielle, tandis qu'ailleurs, ce sont eux qui souhaitent approfondir un dossier pour lequel ils possèdent des «antennes» fortes. Dans ce cas, ou bien le journaliste connaît le dossier qu'il fouille, car il suit une piste bien arrêté; ou bien, il a été orienté dans ses investigations par quelque source discrète, mais bien informée.

Les directeurs de service

Les journalistes peuvent recevoir de leur chef d'information ou de nouvelle des propositions de thèmes ou d'événements à couvrir. C'est alors le chef de service ou l'un ou l'autre des directeurs de l'entreprise qui souhaite voir les médias aborder certains thèmes donnés.

Ce qui signifie que ces acteurs décisionnels sont réceptifs à certains mouvements de société. Dans le meilleur des cas, les décisions sont inspirées par une lecture profonde et critique du contexte social. Dans le pire des cas, les décideurs sont inféodés aux pouvoirs dominants de la société qui leur dictent une ligne de conduite.

Dans toutes les circonstances, les décideurs, qu'ils soient de la rédaction ou gestionnaires, peuvent être sensibles aux pressions exercées sur eux. C'est ce qui explique que le communiqué n'est qu'une forme d'entrée de l'information dans les médias.

Les sources

C'est toutefois des sources que proviennent la grande majorité des nouvelles. L'intervention des divers acteurs sociaux qui organisent des manifestations, des conférences et des lancements anime la place publique. Ce sont ces acteurs qui, par leurs communiqués, préviennent les médias des activités ou des points de vue qu'ils souhaitent mettre de l'avant.

Suivant les sollicitations reçues, les chefs de pupitre (médias écrits) ou les chefs de nouvelle (médias électroniques), en collaboration avec les journalistes, décident alors des événements à couvrir.

Une information peut donc entrer dans les médias de diverses façons. Et lorsque vient le temps de faire le journal ou le bulletin d'informations, le responsable doit choisir entre les textes produits par les journalistes, les communiqués reçus par la poste, par courrier électronique, par télécopie, les textes des agences de presse nationales et internationales et les textes des agences de diffusion.

C'est donc par ces différents réseaux qu'il faut apprendre à pénétrer dans les médias.

La sélection des informations

Parvenue dans les médias, une information n'en est pas pour autant retenue pour diffusion. Elle est d'abord jugée en fonction d'un certain nombre de critères.

L'espace disponible

L'espace/temps consacré aux informations varie selon les jours de la semaine pour les médias écrits et selon les heures de la journée pour les médias électroniques.

Ces mêmes informations sont présentées sous forme de rubriques ou de cahiers spécialisés. On traite, dans des espaces/temps bien déterminés, des activités internationales, nationales ou locales, des nouvelles des arts, des sports, de l'économie et de la météo.

Ce n'est donc pas, en soi, l'intérêt même de l'information qui détermine sa diffusion, mais sa relative importance parmi toutes les informations du moment et l'espace/temps disponible pour chacune des rubriques.

Dans les médias écrits, la quantité de publicité détermine le nombre de pages de chaque rubrique. Si, certains jours, les journaux ont moins de pages, ce n'est pas que l'actualité y est moins intéressante, c'est qu'il y a moins de publicité. Un journal consacre en moyenne 60 % de son espace à la publicité. Il ne reste donc que 40 % d'espace rédactionnel. Ainsi, chaque matin, dans les quotidiens, le nombre d'espaces publicitaires vendus la veille détermine le nombre de pages à remplir avec des informations. Le journal est donc fait en remplissant les espaces laissés vacants par la publicité !

Il ne faut pas y voir là quelque chose de négatif. D'une part, la publicité fournit aussi des informations importantes pour la vie quotidienne des individus : où aller faire son marché, quel spectacle voir, à quel endroit et quand aller voter, quel emploi est vacant... D'autre part, les médias constituent une industrie, certes culturelle, et comme telle, ils doivent équilibrer leur budget et générer certains profits. La publicité devient essentielle, sinon le coût d'accès à l'information pour le consommateur deviendrait prohibitif.

Dans les médias électroniques, la durée des informations dépend de conventions adoptées par chacun d'eux. Ainsi, la radio produit des bulletins d'informations d'une ou 2 minutes à chaque demi-heure ou à chaque heure et des bulletins plus élaborés de 5, 10 ou 15 minutes une ou 2 fois par jour.

À la télévision, on présente des nouvelles express d'une ou 2 minutes, des bulletins d'informations de 20 minutes, d'une demi-heure ou plus et des magazines d'informations et d'affaires publiques qui durent jusqu'à une heure. On y consacre par ailleurs quelque 10 minutes par heure à la publicité, et ce, même dans les émissions d'information.

Ces contraintes d'espace sont intéressantes à connaître. Ainsi, un bulletin de nouvelles de 2 minutes à la radio doit limiter chaque sujet traité à quelque 10 ou 20 secondes, soit à un maximum de 20 lignes de texte. Seules les informations de première importance peuvent donc y être diffusées.

Par ailleurs, un cahier complet sur un thème donné dans un média écrit peut contenir une foule d'informations et une nouvelle sur ce thème, même d'importance secondaire, a plus de chance d'être retenue dans cette section.

La personnalité des médias

Chaque média possède une personnalité propre qu'il faut apprendre à découvrir. Tous les médias ne sont pas sensibles de la même façon à tous les types d'information. Et tous les médias n'ont pas la même crédibilité auprès du public à atteindre. Par exemple, pour rejoindre des amateurs de sport, certains médias s'y prêtent mieux.

La personnalité des médias est façonnée successivement par les éditeurs qui décident de leur donner une orientation particulière et par les consommateurs qui se retrouvent dans cette orientation. Les médias spécialisés dans le culte des vedettes ou dans les histoires de police tentent de rejoindre deux types de clientèle distinctes. Quant aux annonceurs, ils choisissent le média qui correspond le mieux au public à atteindre.

Pour un média, c'est l'équilibre entre ses consommateurs et ses annonceurs qui crée à la longue sa personnalité. Ainsi, plus un journal atteint un fort tirage, plus il deviendra le canal privilégié des grands annonceurs qui pourront préférer acheter de l'espace publicitaire dans un média qui tire à 300 000 copies plutôt que dans trois médias de 100 000 copies chacun. Pour conserver sa clientèle et ses annonceurs, le média devra donc choisir un ton et une approche qui ne choqueront ni l'une ni l'autre.

La personnalité des gens de médias

Il existe une notion en communication dite du garde-barrière, lequel active ou empêche la circulation de l'information. Avant d'être éditée, une nouvelle franchit habituellement plusieurs contrôles. À chacun d'eux, un garde-barrière lui permet ou non de passer.

Ainsi, un journaliste peut être très sensibilisé à certaines causes et les juger importantes. Par ailleurs, il peut être opposé à d'autres ou tout simplement les méconnaître. Prenons comme exemples la protection de l'environnement et les pistes cyclables. Si un journaliste est très ouvert aux questions écologiques, il sera plus réceptif aux informations sur ce sujet qu'un autre journaliste qui ne leur attribue pas la même importance.

Ce qui est vrai d'un journaliste l'est aussi d'un chef de pupitre, d'un directeur d'information, d'un éditeur. Il y a donc, le long de la chaîne de production, différents individus qui peuvent bloquer ou dynamiser l'information, selon leur propre jugement.

Ce jugement s'exerce aussi sur le plan de la morale. Les médias peuvent refuser des informations ou des publicités parce qu'elles risquent de choquer.

Il faut donc apprendre à reconnaître les éléments de résistance à une cause donnée dans les médias. Cela permet alors d'adopter des stratégies mieux articulées.

La perception sélective des journalistes ou des chefs de service opère un tri décisif sur les nouvelles qui leur parviennent. Lovell (1982, p. 172) signale que passer une heure avec un chef de service dans un média donne une leçon d'humilité au communicateur d'entreprise, qui se rend alors compte du traitement accordé à son communiqué. D'abord, d'un coup d'œil rapide, l'éditeur parcourt le titre et le premier paragraphe et, déjà, son idée est faite : le communiqué prend le chemin de la poubelle ou il est mis de côté pour une utilisation éventuelle. Il est possible, ensuite, qu'il se retrouve sous les autres communiqués qui arrivent après et qu'au moment du choix, l'éditeur n'ait pas le temps d'en faire le tri et qu'il se contente de choisir celui qui est sur le dessus de la pile et qui correspond à la thématique de l'espace/temps à remplir. Peut-être aura-t-il un meilleur sort si l'éditeur le transmet à un de ses collaborateurs qui y voit une matière à nouvelle...

La définition de la nouvelle

C'est sans doute dans la perception de ce qu'est une nouvelle que s'exercera le tri décisif des informations. Mais encore faut-il savoir que les éléments présentés ci-haut constituent les premiers filtres.

Nous avons parlé d'informations de première importance et d'importance secondaire. Or, ces notions ne sont pas définies de façon absolue. Tout dépend de celui ou de celle qui juge la nouvelle.

> Mais qu'est-ce qu'une «bonne» nouvelle? L'univers n'est pas organisé en événements simples et clairs qui possèdent intrinsèquement leur propre signification et qui attendent d'être perçus et retenus par l'observateur journaliste.
> [...]
> En ce sens, on peut dire que les nouvelles sont davantage le reflet des pratiques des journalistes et du cadre organisationnel des médias que le simple reflet d'une quelconque réalité «vraie» (Fishman, 1982).

Il existe aussi des circonstances où des nouvelles locales peuvent devenir l'objet d'un reportage national. Comment faire alors pour savoir si l'information que l'on détient est digne d'une couverture nationale?

Il y a certes une part de subjectivité dans le tri de la nouvelle par les journalistes, les chefs de pupitre ou les directeurs d'information. Mais il faut se rendre à l'évidence que même s'il n'existe pas de définition absolue de ce qui constitue une nouvelle, la majorité des journalistes en saisissent la même essence. Nous en voulons pour preuve la similarité des choix de nouvelles en première page ou en manchettes chaque jour dans les différents médias. Sans concertation aucune, ils retiennent comme importantes les mêmes nouvelles.

Bien sûr, la personnalité de certains chefs de pupitre ou d'information, tout comme celle de chaque média, oriente ce tri. Mais il existe un sens commun de ce qu'est la nouvelle.

Le communicateur qui partage ce même sens de la nouvelle a plus de facilité à faire passer son message dans les médias. Pour les autres, quelques conseils peuvent les sensibiliser à l'art de créer la nouvelle (Ross, 1990).

Avant de diffuser une information, il faut d'abord se poser la question suivante : a-t-elle des chances d'intéresser quelqu'un ?

> L'erreur classique du dirigeant d'entreprise ou du bénévole d'une association consiste souvent à surestimer l'intérêt de l'information qu'il a à communiquer (Doin et Lamarre, 1986, p. 117).

Pour une entreprise comme pour un individu, il n'y a pas d'information plus importante que celle qu'il s'apprête à diffuser. C'est compréhensible. Tout changement, toute acquisition, tout lancement d'un produit prend une place vitale dans l'actualité de l'entreprise. Mais qu'en est-il à l'échelle régionale ou nationale ?

Tous les jours, les salles de rédaction sont inondées de sollicitations. Des dizaines d'entreprises, d'associations et d'organisations se battent pour obtenir une place dans les médias d'information. Or, nous l'avons vu, l'espace pour véhiculer l'information est limité. Les stations de radio ont de courtes périodes d'information. La télévision diffuse un nombre restreint de bulletins de nouvelles. Les journaux réservent beaucoup d'espace à la publicité et aux chroniques régulières.

Dans un tel contexte, il n'est pas surprenant de voir certaines organisations essuyer un échec quand elles préparent des conférences de presse ou diffusent un communiqué. La principale raison de ces échecs, c'est qu'au départ, il n'y avait pas matière à recourir aux médias d'information. C'est pourquoi il faut d'abord évaluer judicieusement l'importance de la nouvelle et choisir ensuite les médias qu'elle intéressera.

La première étape à franchir est de bien cerner cette nouvelle. Qu'a-t-elle pour susciter l'intérêt autant auprès des médias d'information que du public ? Cette étape est la plus importante, car c'est à ce moment que la nouvelle est retenue, diffusée ou écartée. Il faut donc choisir une information intéressante et/ou divertissante pour le public. Et savoir communiquer le message en ayant pris soin de bien définir la nouvelle.

Delmer Dunn (1969) a tenté de définir les différents paramètres d'une nouvelle. Après avoir interrogé des journalistes pour savoir comment ils la percevaient, il en a déduit qu'il s'agissait d'un phénomène vague, difficilement cerné, qui relève davantage d'une certaine forme d'intuition. «Une nouvelle, ça se sent, ça se sait.»

Voulant en savoir davantage, il leur a demandé comment choisir entre deux situations. Et ils ont répondu qu'ils retenaient la plus importante. Et comment déterminer la plus importante? En privilégiant ce qui est le plus intéressant pour le public. Et ce qui est intéressant pour celui-ci, c'est le conflit et la controverse, le changement, le caractère unique de l'événement ou la personnalité qui est rattachée à l'événement.

En somme, la définition de la nouvelle demeure claire pour les journalistes, mais diffuse pour le communicateur. Il faut donc apprendre à bien connaître le métier de journaliste pour être en mesure de composer avec lui.

La revue américaine *TIME* définissait de façon aussi vague la notion de nouvelle dans son numéro du 17 octobre 1988 alors qu'elle offrait à ses lecteurs une différente présentation visuelle et leur faisait part de sa mission d'information.

[...] news is much more than what appears on the front page. A President's or a Prime Minister's decision is, of course, news, as is an earthquake or a coup in a distant land. But news is also an advance in medecine, a success (or a failure) in business, a controversy over a movie. News is an environmental trend, a cultural happening, a book that tells a story never told before, an idea seldom so well expressed.

Des auteurs considèrent qu'un certain nombre de valeurs de base créent une nouvelle:

◆ L'écart à la norme

La norme, c'est le quotidien banal, c'est sans intérêt. Les médias ne vont retenir de ce qui se passe dans l'environnement qu'ils couvrent que les écarts à la norme. Le prix du lait, du pain, du sucre et du café ne devient nouvelle que lorsqu'il change. Il faut donc apprendre à traduire ses préoccupations en fonction de la norme.

◆ La nouveauté

La nouvelle, c'est d'abord le nouveau. Pour trier ses informations et les ranger par ordre d'importance, le journaliste se demande donc : que puis-je apprendre à mon lecteur, que puis-je lui dire qu'il ne sait déjà ? (Ross, 1990, p. 30)

Pour Doin et Lamarre (1986), « il faut que le journaliste soit confronté de façon convaincante à un élément nouveau. » Toute nouvelle doit donc constituer une activité inhabituelle ou être présentée comme telle.

◆ La proximité

Plus l'information rapportée concerne le milieu même que couvre le média, plus elle a de possibilité d'être considérée comme une nouvelle. Ainsi, la nomination d'un nouveau président du Club de l'âge d'or dans une ville a plus de chances d'intéresser les résidants de cette ville que ceux des villes plus éloignées. De ce fait, l'information sera reprise uniquement dans le média local.

Cette approche s'explique par le fait que les gens sont plus intéressés par les éléments qui les touchent, qui les concernent, que par ceux qui n'exercent aucun attrait sur eux. De ce fait, il faut savoir décomposer une nouvelle générale en élément de proximité.

Abbott et Brassfield (1989) ont analysé plusieurs études qui traitaient des principaux facteurs retenus par les chefs de pupitre pour diffuser le contenu d'un communiqué. La proximité est celui qui revient le plus souvent (Harless, 1974 ; Baxter, 1981) et avec plus de poids dans les quotidiens qu'à la télévision.

◆ L'importance

L'information doit revêtir une certaine importance pour le public d'un média donné. Ainsi, les cataclysmes ont toujours alimenté l'imagination populaire ; et les grandes décisions politiques ont toujours nourri les conversations. Mais la nomination d'un directeur d'école dans une ville éloignée, à moins qu'il ne soit un enfant du pays ou une vedette, n'a aucun intérêt pour les utilisateurs des médias dans un autre milieu. La notion d'importance est donc relative. Un jour, d'ailleurs, une nouvelle ne sera pas jugée importante par rapport aux autres nouvelles, mais elle le sera le lendemain. C'est pour cette raison que l'on doit bien choisir le moment de la diffusion d'un communiqué.

En fait, si l'on veut que sa nouvelle se démarque des autres, elle doit présenter une connotation d'urgence ou d'intérêt particulier pour le public visé. C'est ce que Ross (1990, p. 34) appelle «la valeur intrinsèque».

◆ L'impact

Quel impact aura la nouvelle sur la vie des consommateurs des médias d'une région donnée? Pour les auteurs Doin et Lamarre (1986), «la force d'une nouvelle, l'argument qui gagnera les journalistes, ce sont les conséquences que peut avoir l'information sur la vie de tous les jours des gens.» L'étude d'Abbott et Brassfield (1989) place l'impact et la signification d'une nouvelle au deuxième rang des raisons invoquées par les gens des médias pour qu'ils la retiennent.

◆ L'immédiateté

Un événement passé n'a plus d'intérêt pour les médias qui vivent du présent. Il faut donc diffuser l'information au moment où l'action se passe. Deux jours plus tard, d'autres éléments du présent deviennent des nouvelles. L'étude d'Abbott et Brassfield (1989) confirme cette tendance.

◆ L'intérêt

Quel intérêt exerce l'information sur le public visé? L'information peut-elle avoir des incidences sur la vie du public? À défaut d'intérêt évident, il faut convertir l'information en attrait. Angel et Aulick (1976, p. 37) racontent comment le relationniste Robert Taplinger a réussi à attirer l'attention des médias pour parler de la liqueur Bénédictine dont il venait d'obtenir le compte de communication. Sachant fort bien que les médias n'allaient pas lui faire la faveur de parler de son digestif, même s'il avait voulu présenter toutes les merveilles de cet alcool, il choisit une voie détournée. Il organisa un concours annuel, le Benedictine Art Contest, doté de prix importants, auquel il invita tous les artistes à présenter une œuvre qui devait d'une manière ou d'une autre illustrer une bouteille de Bénédictine. Les médias acceptèrent alors de parler de cette boisson.

La compagnie Campbell a constitué une intéressante collection de soupières et de terrines, certaines très anciennes, toutes de véritables œuvres d'art. Elle a organisé une série d'expositions de sa collection dans différents musées d'Amérique du Nord. Les communiqués relatifs à la tournée n'ont eu aucune difficulté à être repris dans les médias et l'événement a bien été couvert (exemples 1 et 2).

◆ L'ampleur

Combien de gens la nouvelle touche-t-elle? Combien sont concernés? Selon son ampleur, la nouvelle aura plus ou moins de chances d'être diffusée.

◆ La controverse

Tout conflit, toute controverse sont l'objet de nouvelle, car ils mettent en action des groupes opposés qui, de ce fait, attisent la nouvelle. Souvent, chaque groupe possède ses communicateurs qui vont essayer de persuader l'opinion publique du bien-fondé de leur position.

◆ La singularité

Les nouvelles insolites sont toujours reprises. Les faits divers drôles ou tragiques sont l'objet de la curiosité humaine.

◆ La manchette

Outre ces caractéristiques, ajoutons aussi que la nouvelle, selon son importance relative, peut être «jouée en manchette» par les médias, c'est-à-dire qu'elle peut paraître en première page des médias écrits et être annoncée au sommaire des nouvelles ou présentée au tout début des bulletins de nouvelles.

Ainsi, plus on jugera la nouvelle importante, plus elle sera «jouée à la une». À l'inverse, une nouvelle retenue comme intéressante mais secondaire peut facilement être reléguée aux dernières pages d'un média écrit ou à la fin d'un bulletin de nouvelles et être retirée dès que se présente un sujet plus captivant.

2. Connaître le métier de journaliste

La neutralité du journaliste

Le journaliste recherche d'abord et avant tout la nouvelle et, en principe, il n'a aucun intérêt particulier à défendre ou à protéger.

Exemple 1

communiqué
M u s é e   d u   Q u é b e c

TELBEC:　code 1　　　　　　　　POUR DIFFUSION IMMÉDIATE

Sélection de soupières du Musée Campbell

Québec, le 28 novembre 1989.　-　Le Musée du Québec recevra du 7 décembre au 14 janvier une sélection de 75 soupières du Musée Campbell.

Les oeuvres présentées proviennent de 15 pays d'Europe, d'Asie et d'Amérique et ont été réalisées aux XVIIIe et XIXe siècles. Ces pièces d'orfèvrerie (argent, étain et vermeil) et de céramique (porcelaine, émail sur cuivre, faïence et grès) revêtent une grande importance dans l'histoire des arts décoratifs.

Un catalogue de la collection du Musée Campbell, bien documenté et comprenant une centaine d'illustrations en couleurs, est en vente à la librairie du Musée au prix de 7,50 $.

Le Musée Campbell, ouvert au public depuis 1970, est situé à Camden au New Jersey.

-　30　-

Source:　XXX　　　　(418) 644-0420　　　　89-11-05-67
　　　　　　　　　　　(418) 644-1976

1, avenue Wolfe-Montcalm
Parc des Champs-de-Bataille
Québec (Québec) G1R 5H3
Bélino: (418) 646-1664

Exemple 2

Le Soleil, Québec, samedi 23 déc. 1989, p. E-1.

Au Musée du Québec

Des soupières qui vous mettent l'eau à la bouche

Depuis plus d'une semaine, le Musée du Québec, qui a temporairement rouvert ses portes, fait le bonheur des amateurs d'art décoratif avec la « Sélection de soupières du musée Campbell », une exposition où se mêlent la fantaisie faste de l'orfèvrerie et les curiosités glacées de la porcelaine.

par SYLVIE ROYER
collaboration spéciale

C'est donc à la découverte du « nec plus ultra » d'un objet en soi banal et utilitaire auquel le visiteur est convié par cette riche sélection de soupières provenant du musée Campbell, de Camden, au New Jersey. Un musée qui, grâce à la volonté de la compagnie Les Soupes Campbell, existe depuis 1966 et dont les specimens choisis voyagent à travers le monde entier. « L'exposition nous arrive d'Australie. Sa prochaine étape, après Québec, est le Royal Ontario Museum à Toronto », précise M. Paul Bourassa, adjoint au conservateur de l'art ancien, au Musée du Québec.

Orfèvrerie, porcelaine, faïence, la *Sélection de soupières du musée Campbell* propose, jusqu'au 14 janvier, un panorama mondial du genre : 75 soupières, 15 pays, des pièces d'Europe, d'Asie et d'Amérique réalisées aux XVIIIe et XIXe siècles. « C'est un peu l'histoire des influences entre les pays fabricants qui est retracée ici, indique M. Bourassa. Ainsi, à une certaine époque, les Européens commandaient des pièces en Chine, réclamant des motifs particuliers que les artisans chinois adaptaient à leur connaissance du médium. » Tandis que la France transmettait à d'autres son habileté technique, l'Angleterre découvrait les propriétés de la « glaçure verte » influençant la fabrication généralisée de la faïence fine.

Ici, une terrine d'argent, style rococo. Réplique inspirée d'une nef médiévale datant de 1766 et dont l'origine nous transporte à la cour de Catherine II, à St-Petersbourg. Plus loin, des pièces plus épurées, d'influence néo-classique, suggèrent la rigueur de leurs propriétaires. Ainsi cette terrine fuselée en argent, de la fin du XVIIIe siècle, dont les armoiries indiquent l'appartenance antérieure à la famille maternelle de Georges Washington.

Certes, on est loin de la soupe populaire. Mais, si l'orfèvrerie occupe près de la moitié de l'exposition, les faïences et les porcelaines [...]

argent présentent des armoiries gravées, souligne-t-il, nous référant ainsi aux propriétaires, souvent des familles royales. Pour les pièces de poterie, il est plus difficile de retracer les possesseurs puisqu'on ne retrouve que les marques de fabrique, renvoyant plutôt aux artisans. Une information que l'orfèvrerie livre également grâce aux poinçons du fabricant. »

Lignes aux nervures ajourées [...]

SÉLECTION DE SOUPIÈRES DU MUSÉE CAMPBELL. Au Musée du Québec, jusqu'au 14 janvier.

Il traitera de tout ce qui fait l'actualité, même des concurrents ou des adversaires, sans pour autant prendre le parti des uns ou des autres. De ce fait, un journaliste n'est pas négatif à une cause lorsqu'il parle d'une cause adverse.

Le journaliste est aussi un garde-barrière qui filtre l'information à partir de sa personnalité et de sa perception des faits qui lui sont présentés. Mais si l'information n'arrive pas jusqu'à lui, il ne s'engage pas pour autant à aller la chercher. Toute source doit donc s'assurer que le journaliste possède la version de la réalité qu'elle privilégie.

L'exactitude des faits

Les journalistes n'aiment pas se sentir utilisés ni se faire raconter des histoires et, surtout, ils se défendent bien de faire de la publicité pour une entreprise ou une organisation.

Pour qu'une information soit diffusée, elle doit s'appuyer sur des arguments solides et véridiques qui convaincront les journalistes de la valeur réelle de l'entreprise, du produit ou du service à faire connaître.

Livrer des faits non vérifiés, affirmer des opinions sans les défendre risquent de créer un climat de méfiance entre les journalistes et l'entreprise. Une telle situation peut entraîner des réactions de rejet de l'information ou, pire, des commentaires négatifs avec l'information diffusée.

La complexité des activités

Les entreprises s'étonnent parfois qu'un journaliste saisisse mal une situation ou ne comprenne pas toutes les nuances d'un projet qui a demandé des mois de cheminement à l'entreprise ou à l'organisation avant de se matérialiser. Or, le plus souvent, le journaliste ne dispose que de quelques heures pour en prendre connaissance. Il faut donc, autant que faire se peut, lui faciliter la tâche, se mettre dans sa peau et essayer de traduire, comme lui-même le ferait, la complexité de la nouvelle en termes simples, accessibles et compréhensibles.

Les spécialistes

Dans les médias, il y a habituellement un journaliste attitré à certaines activités : le chroniqueur municipal, le chroniqueur judiciaire, le responsable des questions d'éducation, de santé, le critique des arts ou le journaliste sportif. Les éditorialistes possèdent aussi des champs d'intervention privilégiés.

Comme il est toujours plus facile de sensibiliser à une cause ou à un projet quelqu'un chez qui le sujet à traiter est familier, il s'agit donc de repérer ces journalistes, de noter leur journée de congé (dans certains médias, les journalistes pratiquent la semaine de quatre jours), de se faire connaître et apprécier d'eux, de les amener à vous accorder une certaine crédibilité.

Les contraintes techniques

Les journalistes sont également prisonniers de contraintes techniques. Ils doivent respecter l'heure de tombée ou de «bouclage» des bulletins d'informations ou de la mise sous presse. Une information qui arrive à la dernière minute dans un média risque d'être mise de côté parce qu'il est trop tard pour la prendre en considération.

Les journalistes ne peuvent, par ailleurs, répondre à toutes les sollicitations compte tenu du temps requis pour préparer une entrevue, la réaliser et rédiger ensuite le texte ou produire l'information électronique.

Ainsi, certaines journées et certaines périodes de la semaine peuvent être plus creuses et d'autres plus actives. Des événements se couvrent rapidement et d'autres exigent du journaliste une plus grande flexibilité.

La journaliste Lederman (1996) précise qu'à la radio, il y a des bulletins d'informations à toutes les heures. Les communiqués peuvent donc avoir une courte durée de vie en ondes. De ce fait, les journalistes radio n'ont pas toujours le temps de vérifier d'une heure à l'autre les oublis ou les inexactitudes qui se sont glissés dans les communiqués.

Alors, ils les mettent de côté pour en choisir un qui leur semble plus complet.

Ces éléments peuvent donc expliquer pourquoi certaines entreprises n'obtiennent pas toujours le résultat escompté dans leurs relations avec les médias.

L'éthique professionnelle

Il existe des pratiques acceptées dans le monde des médias qui, après un certain temps, sont écartées lorsque des abus apparaissent ou risquent d'apparaître. On a tous entendu parler d'une période où certains journalistes recevaient des enveloppes (d'argent) en même temps que le communiqué à publier. Cette pratique comme celle des cadeaux remis aux journalistes sont, en principe, maintenant révolues.

Toutefois, d'autres existent encore sur lesquelles s'interroge le monde des communications. Les chroniqueurs des arts, par exemple, reçoivent gratuitement leurs billets de spectacles ; les journalistes sportifs ne paient pas leur place aux matches qu'ils doivent décrire. Les chroniqueurs touristiques acceptent les billets d'avion des pays ou des organisations qui les invitent.

Les chargés de la communication de grandes entreprises essaient de créer, par une certaine générosité, un climat de sympathie entre leur organisme et les médias. De telles pratiques risquent toutefois d'entacher la réputation de neutralité des journalistes.

Par ailleurs, il existe des journalistes qui pratiquent des activités de relations publiques ou qui associent leur nom à la promotion de certains produits. Les chroniqueurs sportifs n'hésitent pas à accepter des honoraires pour les collaborations diverses qu'ils apportent aux clubs sportifs professionnels, comme la rédaction d'articles dans les programmes remis à chacun des matches ou la participation au choix des étoiles.

Mais si l'on oublie que les journalistes, comme tout individu, sont toujours sensibles aux marques d'attention, on risque de se priver d'une approche efficace dans ses relations de presse !

3. Savoir utiliser l'ensemble des médias

Une couverture de presse adéquate doit rejoindre l'ensemble de la clientèle cible. Comme celle-ci est habituellement dispersée, tous les médias de l'aire de diffusion retenue doivent être mis à contribution, c'est-à-dire autant les médias locaux, régionaux, nationaux que les médias spécialisés.

Pour annoncer les améliorations d'un centre de ski local, on peut penser que les médias écrits et électroniques locaux suffisent. Mais des médias nationaux spécialisés dans les sports peuvent reprendre la nouvelle si elle est intéressante ou préparer un dossier spécial dans lequel pourront être intégrées des nouvelles locales ou régionales. Enfin, une nouvelle locale peut devenir le prétexte pour les médias nationaux de construire une histoire originale.

Par ailleurs, pour atteindre une clientèle locale, on peut penser à l'hebdomadaire de la région. Mais d'autres médias comme le bulletin paroissial peuvent constituer une source additionnelle de diffusion si l'information s'y prête.

Quant à l'agence «Presse Canadienne», la PC comme on le voit écrit dans les médias, elle rejoint à elle seule la presque totalité des médias dans toutes les régions du Québec. Ce qui signifie que si des circonstances urgentes nécessitaient la diffusion d'une information rapidement, le contact d'un seul journaliste, celui de la Presse Canadienne, permettrait d'obtenir une couverture nationale. On utilise de façon exclusive ce canal lorsque l'urgence et l'importance de l'information le justifient.

Rappelons, enfin, que les médias électroniques s'inspirent parfois de ce qui a été publié dans les médias écrits. Il faut donc apprendre à utiliser chacun des médias en fonction de ses avantages respectifs.

4. Développer les relations publiques

Les relations publiques ont pour premier objectif de créer une image de confiance, un climat favorable et un courant de sympathie entre une entreprise et ses différents publics.

Toutes les entreprises importantes se sont dotées de structures de communication de façon à bénéficier des conseils de professionnels pour diffuser une image positive d'elles-mêmes, de leurs produits et services. Ces structures ont reçu diverses appellations : Direction des communications, Service des relations publiques, Service de l'information ou Service des affaires publiques. Et ceux qui y travaillent se nomment professionnels de la communication, conseillers en communication, chargés de communication, communicateurs, agents d'information, relationnistes ou attachés de presse. On pourrait essayer de distinguer la différence entre chacun de ces types de service et leurs rôles respectifs. Mais dans les faits, ils utilisent les mêmes techniques dans leurs relations avec les médias. Et c'est ce qui nous intéresse ici.

Les relations de presse ne sont qu'un moyen pour rejoindre le public. La publicité, les expositions, les relations publiques en sont d'autres à la disposition des entreprises pour diffuser leurs informations et leurs messages.

Les grandes entreprises constituent des concurrents actifs pour toute petite organisation en quête de l'attention des médias. Elles disposent souvent des moyens matériels et techniques pour développer des contacts extrêmement professionnels avec eux. Les plus petites organisations doivent plutôt s'en remettre à des bénévoles pour faire le même travail, d'où la nécessité pour elles de bien comprendre les règles du jeu qui animent les relations avec les médias, d'apprendre à les développer et de dépasser le stade de l'amateurisme dans leurs rapports avec eux.

Les communicateurs, de leur côté, apprendront à s'imposer comme des interlocuteurs crédibles auprès des médias : d'une part, en travaillant de façon professionnelle, c'est-à-dire en évitant d'envoyer des communiqués sans véritable information ; d'autre part, en apprenant à nouer des liens d'amitié avec les journalistes.

Tisser de bonnes relations de presse permet au communicateur d'être écouté et, de ce fait, de faire valoir plus facilement le point de vue de son entreprise. Les journalistes qui peuvent compter sur un interlocuteur valable à l'intérieur d'une entreprise n'hésiteront pas à communiquer avec lui en toutes circonstances pour obtenir des compléments d'information.

Des études ont, en effet, démontré que la source d'information influence la perception du journaliste lorsque vient le temps de juger de la pertinence de la nouvelle. Dans cette intention, Walters *et al.* (1994, p. 347) font état de quelques recherches qui témoignent de la crédibilité accrue de certaine source. Ainsi, le journaliste privilégie celle qui appartient à une institution reconnue (Goodell, 1975), qui a déjà démontré la qualité de ses travaux (Stocking, 1985) et qui fait preuve de crédibilité et de détermination (Gans, 1979). Par ailleurs, la qualité des relations entre le relationniste et le journaliste favorise l'utilisation des communiqués par ce dernier (Walters et Walters, 1992). Relationnistes et journalistes seront toujours appelés à collaborer ; c'est pourquoi l'échange d'informations doit être constant et rigoureux.

Newson et Scott (1985, p. 282) affirment :

> Personal and professional relationships are critical to working successfully with the news media.

Le conseiller en communication Thierry Saussez (1990, p. 29) affirmait même que les gens de communication sont en fait des machines à courir derrière les médias.

Il est donc important pour le communicateur de bien connaître les médias qu'il utilisera pour transmettre sa nouvelle. Un bon relationniste saura combien il y a de quotidiens au Québec, la spécificité de chacun d'eux, quels sont les autres médias pertinents à sa démarche. Il sera en mesure de bien identifier les émissions d'affaires publiques dans les médias électroniques de façon à y avoir recours au moment opportun.

Si l'organisation ne possède pas les ressources requises pour intervenir de façon dynamique auprès des médias, elle peut toujours avoir recours aux services des spécialistes des cabinets-conseils.

5. Pratiquer la communication comme outil de gestion

En ayant recours aux médias, une entreprise peut vouloir diffuser une information ou gérer une préoccupation. Dans le premier cas, elle fera connaître le résultat d'une décision à une population cible. Dans le second, elle essayera d'abord de faire partager le problème qu'elle veut résoudre puis de faire accepter la solution qu'elle juge la meilleure. Il ne s'agit donc plus ici seulement de diffusion de l'information, mais de gestion d'une situation par la communication. Ce qui signifie que l'approche empruntée sera plus complexe.

Ainsi, chaque corps social, chaque entreprise, chaque organisation, chaque individu peut à un moment ou l'autre vouloir s'adresser à d'autres institutions. Par la voie des médias, le syndicat parle au patron, au gouvernement et à ses adhérents; le gouvernement s'adresse à l'un ou l'autre de ses partenaires sociaux; le pape parle à l'ensemble des catholiques par ses encycliques, ses prises de position et ses déclarations multiples; une industrie spécialisée s'adresse à ses actionnaires et à ses fournisseurs.

En fait, la majorité des informations qui circulent dans les médias sont issues d'un groupe donné et sont destinées à un autre groupe et non au grand public qui, par ailleurs, peut en prendre connaissance.

Chacun dans son milieu souhaite être informé des activités des entreprises qui le concernent. Le consommateur a besoin d'être rassuré quant à la qualité des produits ou des services offerts par l'entreprise. Le citoyen veut être au courant et comprendre les décisions des gouvernements. Ce n'est plus seulement l'émetteur qui décide des informations qui doivent circuler, c'est aussi le récepteur qui manifeste ses propres exigences.

Au-delà de la circulation d'une information d'ordre pratique, toute entreprise, qu'elle soit publique ou privée, doit développer une image institutionnelle qui lui attirera la sympathie du public. Désormais, elle ne diffuse plus uniquement des informations sur ses produits et services, mais aussi des images d'elle-même qui vont favoriser son développement. La réputation d'une entreprise devient aussi importante que son produit. C'est ce qui amène les grandes sociétés commerciales à financer le développement des arts, à participer aux campagnes de charité, à s'associer à la défense des causes publiques comme l'environnement ou le sort des enfants battus. Mais pour ces entreprises, il ne suffit pas de développer un comportement social donné, il faut que celui-ci soit connu. Dès lors, elles n'hésiteront pas à élaborer des activités de communication pour promouvoir leur sens des responsabilités sociales et faire valoir les faits et gestes qu'elles ont posés en ce sens.

Pratiquer la communication comme outil de gestion signifie donc que l'entreprise va essayer de gérer son rapport avec son environnement, qu'il soit physique ou humain, en ayant recours aux communications.

Voyons donc maintenant les règles de réalisation d'un communiqué.

2

LES ÉLÉMENTS DU COMMUNIQUÉ

Le communiqué est l'outil de base des relations de presse et le véhicule le plus utilisé dans la transmission d'une nouvelle aux médias. C'est la technique d'accès aux médias la plus exploitée.

Il s'agit, en fait, d'un texte au moyen duquel une entreprise transmet une nouvelle d'intérêt public aux médias d'information dans l'espoir de faire connaître son message auprès de la clientèle à laquelle il est destiné.

Rédiger un bon communiqué est un art difficile. D'abord, parce qu'écrire n'est pas facile ; ensuite, parce que cet outil comporte des règles propres qu'il faut apprendre. Et, enfin, savoir saisir la nouvelle d'une situation qui, en soi, peut même être banale nécessite une certaine habileté.

En ce sens, le communiqué est peut-être plus qu'une simple technique de communication, il est aussi un mode d'écriture. Il y aura toujours des gens qui pourront écrire des communiqués avec une grande facilité, alors que d'autres peineront longuement avant d'en arriver à produire un texte professionnellement acceptable.

La rédaction d'un communiqué, comme tout fait d'écriture, exige une maîtrise de la langue et la connaissance de certaines règles de composition. Si l'acquisition d'une bonne écriture exige un long apprentissage, les techniques et les normes qui permettent de fabriquer un communiqué peuvent s'apprendre facilement.

Un communiqué bien réalisé constitue pour le journaliste un outil de travail et de référence tout autant qu'un produit fini, prêt à être utilisé. Comme outil de travail, il pourra livrer des pistes de reportage que voudra approfondir le journaliste. Comme produit fini, il pourra être publié intégralement.

Dans le choix d'un communiqué, les journalistes et les chefs de pupitre appliquent deux critères : l'intérêt de la nouvelle pour le public et la qualité de la rédaction. Il n'est pas question de réécrire des communiqués mal rédigés, car il y en a toujours un à côté qui correspond aux normes recherchées.

Outre ces deux critères, les principales qualités d'un communiqué sont les suivantes : l'intérêt de la nouvelle, la brièveté, l'exactitude des renseignements et un titre qui accroche, qui attire l'attention du journaliste. C'est en fonction de ces critères qu'un communiqué sera préféré à un autre dans la multitude de nouvelles qui arrivent chaque jour dans les médias.

> Dans une entreprise et dans une organisation, nombreux sont les cadres qui pensent que diffuser un communiqué revient à disposer d'une liste de presse. Quant à la rédaction du communiqué, cela semble élémentaire. Cette rédaction est effectivement élémentaire si l'on rédige un texte «d'autosatisfaction» à la gloire de l'entreprise, texte qui n'aura aucune chance malheureusement d'intéresser le journaliste, ne serait-ce que parce que les points de vue sont différents : le journaliste pense à ses lecteurs et l'entreprise à elle... (Schneider, 1970, p. G.14).

Il ne faut jamais oublier qu'il arrive parfois qu'un patron dicte le communiqué en insistant sur un contenu inexact mais utile à ses fins, comme vouloir faire dire à une tierce partie (voir 4, Les tierces parties) des propos qui n'ont pas été confirmés. Il faut alors au communicateur toute la diplomatie requise pour rectifier le tir. Dans certaines circonstances, il n'est ni facile ni efficace d'essayer d'amener ses supérieurs à changer d'idée.

C'est un certain Ivy Lee qui développa aux États-Unis des « relations de presse » plus ouvertes qui donnèrent naissance aux relations publiques modernes. En 1906, alors qu'il était au service de la Pennsylvania Railway, il décida, contrairement au comportement traditionnel qui aurait été de chercher à cacher l'événement, de rendre public un déraillement de train et émit ce que l'on croit être le premier communiqué de presse. Il fit le pari que la presse apprécierait la « transparence » de la société des chemins de fer ; il n'ignorait pas non plus que le communiqué pourrait influencer la façon dont l'événement serait rapporté (Charron, Lemieux, Sauvageau, 1991, pp. XVI-XVII).

1. Définition du communiqué

Le communiqué possède trois caractéristiques particulières :

1) Il se présente comme un avis, un renseignement ou un document transmis officiellement par une entreprise ou un individu.

2) Il énonce une nouvelle (idée, service, produit, cause, événement) susceptible d'intéresser la population ou un groupe donné et en précise la nature (Dumont-Frénette, 1971, p. 340).

3) Il est rédigé spécifiquement à l'intention des médias d'information en vue d'une publication ou d'une diffusion (Ross, 1990, p. 166).

Par conséquent, le communiqué constitue pour les personnes, groupes ou institutions qui n'ont pas accès directement à la place publique un moyen de s'y faire entendre en passant par les médias d'information. Ces derniers sont libres de diffuser intégralement, de remanier ou de ne pas tenir compte de la nouvelle reçue, et ce, peu importe sa nature.

Pour Cutlip et Center (1982, p. 511) : « C'est un document simple, qui a pour but la transmission de l'information dans une forme prête à être publiée. Il est jugé par l'éditeur ou le média sur la base de l'intérêt de la nouvelle pour son auditoire, dans le temps approprié et selon son adaptabilité à la forme du média. »

On conseillera donc au communicateur de formuler sa nouvelle avec grand soin en s'assurant qu'elle aura une connotation d'urgence pour la démarquer des autres.

2. Les types de communiqués

On peut regrouper sous quelques thèmes distincts les différentes formes que peuvent prendre les communiqués. La nomenclature suivante sert davantage à montrer les multiples possibilités d'utilisation du communiqué que de créer des catégories étroites et fermées. Car le communiqué sert aussi bien à lancer des invitations, à donner des faits ou à prendre position.

Le communiqué d'invitation ou de convocation

On y a recours pour inviter les journalistes à venir assister à une activité donnée, que ce soit un cocktail, une conférence de presse, un lancement, une manifestation publique ou une prise de position.

Il joue donc le rôle d'une carte d'invitation ou d'un avis de convocation adressé aux médias. Il les convie à couvrir un événement. Il doit être court, sans fioritures et sans effet de style. Il indique précisément le sujet ou le thème de l'événement, le nom du ou des organismes participants, le moment, le lieu et la façon de s'y rendre, si nécessaire.

Il est important d'inclure tous les détails pertinents sur le lieu de la rencontre, car les journalistes n'apprécient pas tellement devoir chercher l'endroit et la salle exacte où se déroule l'événement, et cela, à cause d'un manque de précision dans la convocation.

Le communiqué d'invitation mentionne également, surtout si c'est de nature à susciter l'intérêt des journalistes, le nom de quelques personnalités qui interviendront d'une façon ou d'une autre. Il est aussi préférable de donner leur titre et leur fonction.

Cette convocation doit s'en tenir à des informations factuelles en un, deux ou trois courts paragraphes. En aucun cas, elle ne doit livrer la nouvelle, car si celle-ci était connue, le journaliste aurait moins intérêt à venir la chercher. À titre d'exemple, vous pouvez convoquer les journalistes pour annoncer la tenue d'un festival mais ne livrez pas dans cette invitation la moindre information sur ce festival ni les dates ni les activités prévues.

Ces convocations peuvent être présentées sous forme de communiqués ou de cartes d'invitation. Dans certains cas, surtout lorsqu'il s'agit des arts et de la mode, les cartes comportent deux volets, telles celles de Noël ou d'anniversaire, avec photos ou illustrations sur le dessus et informations pertinentes à l'intérieur. De toute façon, communiqués et cartes doivent contenir les mêmes éléments.

Nous présentons trois exemples de ce type de communiqué. Le premier (exemple 3) est un avis de convocation à l'intention des médias à une activité qui leur est réservée. Le deuxième (exemple 4) est une invitation adressée à un groupe spécifique de journalistes à venir assister à un événement destiné à un public choisi, mais qui est organisé pour les médias. C'est le cas des lancements de livres, de disques, de films qui nécessitent leur complicité pour bâtir la notoriété du produit. Le lancement en soi constitue donc une activité qui a pour seul but d'attirer l'attention des médias, mais qui est organisée autour d'un certain nombre d'invités choisis. Le troisième (exemple 5) est une invitation qui sollicite la participation des médias dans le but de couvrir un événement ouvert à un public spécialisé et dont on espère des retombées médiatiques. L'événement n'est pas organisé pour les médias et il peut vivre sans eux. L'entreprise recherche alors une visibilité ajoutée plutôt que le support des médias à la réussite de l'activité. C'est le cas de tous les colloques spécialisés auxquels les journalistes sont conviés.

Il ne faut pas oublier que les avis de convocation constituent en eux une information et que les journalistes peuvent en tirer une nouvelle. D'une part, ils peuvent annoncer la tenue de l'événement ; d'autre part, ils peuvent spéculer sur les développements qu'apportera l'événement. Il arrive même que, par mégarde, une invitation aux journalistes (exemple 6) soit confondue avec une invitation à un public spécialisé (exemple 7) et devienne dans les médias une invitation à l'ensemble de la population (exemple 8). Il s'agit là d'une erreur que peut commettre un média et qu'il s'empressera de corriger.

Exemple 3

COLLÈGE DES MÉDECINS
DU QUÉBEC
Une médecine de qualité
au service du public

AVIS DE CONVOCATION

DESTINATAIRES	:	Tous les représentants des médias
SOURCE	:	Collège des médecins du Québec
DATE	:	Le 14 avril 1997
OBJET	:	RENCONTRE DE PRESSE

Le président du Collège des médecins du Québec, le docteur Roch Bernier, invite les représentants des médias à une rencontre de presse au cours de laquelle il rendra publics les faits saillants d'une étude biennale sur les effectifs médicaux (analyse de la situation de 1980 à 1994 et projections pour les années 2000). Il présentera également une mise à jour de la situation réelle des effectifs médicaux de 1994 à aujourd'hui.

<u>**Aucun commentaire ne sera émis avant la conférence de presse.**</u>

DATE	:	**le vendredi 18 avril 1997**
HEURE	:	**11 heures**
ENDROIT	:	Collège des médecins du Québec 2170, boul. René-Lévesque Ouest Montréal

- 30 -

Pour renseignements :	xxx Directrice, Service des communications Collège des médecins du Québec (514) 933-4441 ou 1 888 MÉDECIN, poste 278

Note : Stationnement à l'arrière de l'édifice
       Entrée par la rue Souvenir

2170, boul. René-Lévesque Ouest Montréal (Québec) H3H 2T8
Tél. : (514) 933-4441 ou 1 888 MÉDECIN Téléc. : (514) 933-3112

Exemple 4

LES ÉDITIONS DU BORÉAL

CONVOCATION DE PRESSE

Jean-François Lisée

présentera aux journalistes son nouveau livre sur le grand ballet politique québécois des années 90. Fruit de 200 heures d'entrevues et fondé sur plusieurs centaines de documents confidentiels, ce livre-choc contient plusieurs révélations sur la vie politique québécoise récente.

Le lundi 18 avril
à 10h30
à l'Institut d'hôtellerie et de tourisme
Salle Gérard-Delâge
3535, rue Saint-Denis, Montréal

Renseignements:
xxx , attachée de presse
Diffusion Dimedia, (514) 336-3941 poste 229

4447, rue Saint-Denis, Montréal (Québec) H2J 2L2
Téléphone: (514) 287-7401 Télécopieur: (514) 287-7664

Exemple 5

 Gouvernement du Québec
Ministère des Affaires municipales
Cabinet du ministre

C O M M U N I Q U É

D E P R E S S E
CNW CODE 1
POUR DIFFUSION IMMÉDIATE

Invitation à la presse

À l'intention des directeurs et des directrices de l'information

Québec, le 12 février 1997 - Le ministre des Affaires municipales, responsable du loisir, du sport et du plein air, monsieur Rémy Trudel, procédera, en présence des nombreux partenaires concernés par ces secteurs, au lancement du nouveau cadre d'intervention gouvernementale en matière de loisir et de sport intitulé *«Pour un partenariat renouvelé»*.

OBJET :   Lancement du cadre d'intervention gouvernementale en matière de loisir et de sport *«Pour un partenariat renouvelé»*

DATE :   Le vendredi 14 février 1997

HEURE :   18 h à 20 h

LIEU :   Place centrale du Regroupement Loisir Québec
4545, Pierre-De Coubertin
Montréal (Québec)

*   Aire de stationnement réservée, section A2,
4141, Pierre-De Coubertin, Montréal

- 30 -

Pour information :   xxx
Attachée de presse
Cabinet du ministre
(418) 691-2050

Exemple 6

INVITATION DE PRESSE
MERCREDI, LE 13 DÉCEMBRE 1995

UN PEU D'HISTOIRE...

Les pages d'histoire de La Sapinière et de Val-David sont intimement reliées. Dès le début des années trente, au coeur de la crise économique, M. Léonidas Dufresne, alors maire de Val-David, fit creuser un lac dans le but de donner du travail aux villageois chômeurs. En 1936, il poussa l'audace jusqu'à construire, au bord de son lac, une auberge de vingt chambres. Puis, le destin s'en mêlant, son fils aîné Jean-Louis décida d'en prendre la direction pour en faire le prestigieux hôtel de villégiature qui célèbre cette année son 60e anniversaire d'hospitalité.

Octogénaire vigoureux, Jean-Louis Dufresne a le grand plaisir et le grand honneur de vous convier au lancement des célébrations du 60e! Il est le seul propriétaire-fondateur à avoir survécu à la belle époque des auberges de villégiature des Laurentides et à diriger encore son hôtel. Souvenez-vous... le Chantecler, le Chalet Cochand, Gray Rocks, le Alpine Inn, le Laurentide Inn, le Manoir Pinoteau, le Lodge au Mont-Tremblant...ils ont tous de nouveaux propriétaires ou de nouvelles vocations.

...ET DE NOSTALGIE

Des couloirs où les photos de célébrités abondent, le livre d'or d'origine aux maintes dédicaces, les factures des années trente (1,00$ la chambre; 2,00$ pour la pension et 3,00$ pour le réveillon de Noël!), les menus historiques et l'impressionnante cave à vin invitent à partager ce passé glorieux. Les anciens de La Sapinière seront des nôtres, incluant le Chef Marcel Kretz et le Directeur général, Phillippe Belleteste. Monsieur Dufresne vous invite à venir bavarder tout simplement devant l'imposante cheminée d'origine!

1244, chemin de la Sapinière, VAL-DAVID (QUÉBEC) CANADA J0T 2N0
Val-David : (819) 322-2020 / Sans frais : 1 800 567-6635 / Fax : (819) 322-6510

Exemple 6 (suite)

AU PROGRAMME

11h00 précises!	Départ de Montréal en autocar nolisé * Centre Infotouriste, 1001 Square Dorchester, angle rue Metcalfe
12h00	Arrivée à La Sapinière et cocktail de bienvenue
12h30	Visite de la cave à vin pour le premier groupe (apéro)
13h00	Déjeuner historique dans la salle à manger panoramique Le Chef Cholette présentera la cuisine d'antan et d'aujourd'hui
14h30	Visite de la cave à vin pour le deuxième groupe (digestifs et cognacs)
15h00	Propos intimes de Jean-Louis Dufresne Visite de l'hôtel et de la cuisine Exposition des photos anciennes, des archives et des trophées Entrevues particulières selon l'intérêt: histoire, gastronomie, tourisme Tournée du site enchanteur en traîneau (n'oubliez pas tuques, mitaines, etc.)
17h00	Départ pour Montréal en autocar
18h00 (approx.)	Arrivée à Montréal (Centre Infotouriste)

*   Les personnes qui désirent se déplacer seules auront l'option de l'hébergement pour la nuit à titre gracieux, incluant le petit déjeuner le lendemain.

RSVP: Prière d'indiquer le choix du mode de transport et si l'hébergement est requis.
xxx
Dumas Bergen Inc.
Tél.: (514) 843-4057 / Fax: (514) 843-4762

Exemple 7

HÔTEL LA SAPINIÈRE

60 ANS D'EXCELLENCE

1936-1996

Monsieur Jean-Louis Dufresne

et

Mademoiselle Marie-Andrée Dufresne

ont le plaisir de vous convier

au lancement des célébrations du 60ᵉ Anniversaire de l'Hôtel La Sapinière.

MERCREDI, LE 13 DÉCEMBRE 1995

12h00	Cocktail de bienvenue
13h00	Déjeuner historique
15h00	Rencontre de presse Visite de l'hôtel Exposition d'archives

R.S.V.P.:   XXX
Tél.: (514) 843-4057
Fax: (514) 843-4762

Hôtel La Sapinière
1244, chemin de la Sapinière
Val-David, Qc., J0T 2N0
Tél.: (819) 322-2020

Exemple 8

LE SAMEDI 9 DÉCEMBRE 1995

60 ans d'hospitalité

L'hôtel La Sapinière de Val-David invite tous ceux et celles qui le désirent à participer, le mercredi 13 décembre, au lancement des célébrations du 60e anniversaire de fondation de cet établissement des Laurentides. L'octogénaire Jean-Louis Dufresne est, dit-on, le seule propriétaire-fondateur à avoir survécu à la belle époque des auberges de villégiature de l'année 1936 dans cette partie du nord de Montréal et à diriger encore son hôtel. Des menus historiques et l'impressionnante cave à vins invitent à partager ce passé glorieux. Un voyage par autocar nolisé est prévu à partir de Montréal à 11h précises. Ceux qui souhaitent toutefois se déplacer seuls auront droit à l'hébergement gratuit pour la nuit, incluant le petit déjeuner le lendemain. On peut s'informer davantage en téléphonant à Claudette Dumas-Bergen au (514) 843-4057.

LE MARDI 12 DÉCEMBRE 1995

HUM, HUM!

Une malencontreuse erreur s'est glissée dans la chronique D'un coin du monde à l'autre, publiée en page 4 de notre cahier Partir, samedi dernier. Une nouvelle brève laissait croire que l'hôtel La Sapinière, de Val-David, lançait une invitation générale pour le lancement, demain, des célébrations qui auront lieu pour marquer son 60e anniversaire de fondation. En fait, l'invitation en question s'adressait aux représentants des médias qui sont conviés à ce lancement. Nos excuses!

Il est donc important de s'assurer, avant la convocation des journalistes, qu'il n'y a aucun inconvénient à ce que l'information circule trop tôt. Il est déjà arrivé dans un cas de prise de contrôle d'une entreprise par une autre que l'avis de convocation ait fait retarder l'accord. En effet, en publiant la nouvelle, les médias ont attiré l'attention sur les pourparlers en cours et, de ce fait, ils ont indisposé l'une des parties (exemple 9). Les négociations ont donc été retardées après que l'avis de convocation eut vendu la mèche.

Ce premier type de communiqué, pourtant simple et factuel, démontre deux éléments. D'une part, tout ce qui est porté à l'attention des médias peut faire l'objet d'une nouvelle. Il ne faut donc pas hésiter à leur faire connaître toute information digne d'intérêt. D'autre part, avant d'expédier un communiqué, il faut s'assurer qu'il n'y a aucun inconvénient à ce que la nouvelle soit diffusée. Ici s'exerce le rôle conseil d'un communicateur qui doit d'abord participer à la décision de rendre publique une information, formuler le message de façon adéquate et, enfin, déterminer le moment opportun pour en faire la diffusion.

Le communiqué de rappel

Le communiqué d'invitation ou de convocation peut être expédié deux semaines avant l'événement annoncé. Il est alors de mise d'expédier la veille ou l'avant-veille de cet événement un communiqué de rappel aux journalistes pour leur rafraîchir la mémoire et leur demander d'en prévoir la couverture (exemple 10).

Ce communiqué, sur lequel on indique clairement qu'il s'agit d'un rappel, attire de nouveau l'attention des chefs d'information ou de nouvelle et des journalistes sur le sujet concerné. Il peut, en effet, arriver que l'invitation se soit perdue ou noyée dans le flot des sollicitations reçues au cours des jours qui ont suivi son envoi.

Le communiqué annonce

Il annonce la tenue d'une activité à laquelle est convié le public, comme une exposition, un match sportif, une pièce de théâtre, une levée de fonds ou toute autre manifestation. Le premier objectif de ce

Exemple 9

LE SOLEIL, 8 août 1987

Auberge des Gouverneurs Sherbrooke: les négos continuent

◆ SHERBROOKE (PC)- Des négociations sont toujours en cours entre la compagnie Auberges des Gouverneurs inc. et la compagnie 153446 Canada inc., en vue de l'éventuelle acquisition de l'Auberge des Gouverneurs de Sherbrooke, désormais propriété de la compagnie à numéro formée par M. Dennis Wood et Me Louis Lagassé.

Un avis de convocation de la presse avait été émis mercredi et faisait part d'une « importante transaction » qui devait être dévoilée, à l'Auberge de Sherbrooke, hier matin, par le président et chef de la direction d'Auberges des Gouverneurs, M. Jacques Bouvette.

Toutefois, en fin de journée mercredi, l'avis de convocation qui a vendu la mèche des pourparlers en cours a été annulé et reporté à une date ultérieure non précisée.

La compagnie 153446 Canada inc. est le propriétaire légal de l'Auberge de Sherbrooke depuis quelques jours seulement. C'est d'ailleurs elle qui a signé la nouvelle convention collective qui régit le travail à cet endroit.

Cette compagnie est devenue propriétaire de l'auberge après que ses dirigeants, principaux créanciers de M. Saad Gabr, jusqu'alors propriétaire de l'établissement malgré la prise de possession effectuée à l'hiver, aient réussi à faire valoir leur droit en vertu de non-paiement.

Pour sa part, Auberges des Gouverneurs inc. est propriétaire de six établissements hôteliers au Québec. La compagnie est également le franchiseur en ce qui concerne quatre autres Auberges des Gouverneurs. Bientôt cinq, puisqu'une cinquième franchise a été accordée à Laval où l'ouverture de l'établissement est prévue pour l'an prochain.●

Exemple 10

```
c3835

r a  BC-f-college-medecin-cv    04-17 0183
COMMUNIQUE diffusé par CNW, Montréal 514-878-2520  -GPQF-

    /R E P R I S E/ A l'attention du directeur de l'information:
    COLLEGE DES MEDECINS DU QUEBEC - AVIS DE CONVOCATION -
    RENCONTRE DE PRESSE

    MONTREAL, le 14 avril /CNW/ - Le président du Collège des médecins du
Québec, le docteur Roch Bernier, invite les représentants des médias à une
rencontre de presse au cours de laquelle il rendra publics les faits saillants
d'une étude biennale sur les effectifs médicaux (analyse de la situation de
1980 à 1994 et projections pour les années 2000). Il présentera également une
mise à jour de la situation réelle des effectifs médicaux de 1994 à
aujourd'hui.

    Aucun commentaire ne sera émis avant la conférence de presse.
    ----------------------------------------------------------------

    DATE              :      le vendredi 18 avril 1997

    HEURE             :      11 heures

    ENDROIT           :      Collège des médecins du Québec
                             2170, boul. René-Lévesque Ouest
                             Montréal

    Note : Stationnement à l'arrière de l'édifice
           Entrée par la rue Souvenir
    -0-                       04/17/97  R
    /Renseignements: xxx           , ARP, Directrice, Service des
communications, Collège des médecins du Québec. (514) 933-4441 ou 1 888
MEDECIN, poste 278/

CO:  Collège des médecins
ST:  Québec
IN:
SU:

    -30-


CNW 12:01e 17-APR-97
```

communiqué vise à ce que les médias annoncent l'événement pour inciter le public à y participer (exemple 11).

Il ne s'agit plus d'une invitation aux journalistes, mais plutôt à un public spécialisé ou à un grand public. Dans ce cas, toutes les informations pertinentes à l'événement doivent être livrées si l'on veut voir accourir ce public et, en même temps, aider les journalistes à décider s'ils veulent couvrir ou non l'événement.

Les informations doivent être présentées comme un texte prêt à être diffusé. Le préambule doit être extrêmement bien soigné, car il peut servir de nouvelle à la radio ou à la télévision ou, encore, être utilisé tel quel dans les rubriques comme « Où aller aujourd'hui » ou « Nouvelles brèves ».

Les trois premiers types de communiqués peuvent se présenter en séquence pour un même événement. Ainsi, pour annoncer la programmation saisonnière d'un théâtre, on peut envoyer un « communiqué invitation » aux journalistes pour qu'ils assistent à une conférence de presse qui leur dévoilera le calendrier des activités pour la saison à venir. Quelques jours avant la tenue de la conférence, on leur fera parvenir un « communiqué de rappel ». Et le jour de la conférence, on leur remettra un « communiqué annonce ».

Alors que les communiqués « d'invitation » et « de rappel » portent ces mentions spécifiques au début du texte, le communiqué « annonce », comme toutes les autres formes de communiqués qui suivent, ne porte que la mention : « communiqué de presse », sans autre distinction. Il s'agit, en fait, de différentes façons d'utiliser le communiqué plutôt que des genres vraiment distincts.

Le communiqué de logique médiatique

Il existe une routine journalistique qu'Altheide et Snow (1979) appellent la logique des médias. Sans entrer dans la complexité de la thèse des auteurs, on peut affirmer que cette logique impose certains choix aux entreprises qui veulent occuper l'espace public. En fait, les médias sélectionnent diverses informations à partir d'un nombre d'*a priori*, de réflexes conditionnés, de tradition. Ces informations sont ainsi diffusées de façon mécanique par les médias sans que personne ne

Exemple 11

COMMUNIQUÉ
                              POUR DIFFUSION IMMÉDIATE

Skitch Henderson, prince des big bands

(Québec, le 7 avril 1997) – Dans le cadre de la série « Soirées populaires Hydro-Québec », l'OSQ reçoit l'un des plus grands maîtres de la musique de danse américaine, **Skitch Henderson**, partenaire entre autres de **Frank Sinatra** et de Bing Crosby.

M. Henderson, aujourd'hui chef des New York Pops, agira tant comme chef d'orchestre que pianiste et interprétera des œuvres de Irving Berlin, Johnny Mercer, Tommy Dorsey, Glenn Miller et plusieurs autres. Une attention toute spéciale sera apportée au légendaire Duke Ellington, auquel toute la fin de la soirée sera consacrée.

Venez donc vibrer au son des « big bands » américains dans ce concert présenté le **mardi 15 avril** à la **Salle Louis-Fréchette du Grand Théâtre à 20 heures.**

Au programme

Œuvres de :
Carl Maria von Weber, Les Brown, Donaldson, Irving Berlin, Johnny Mercer, Vincent Youmans, Hoagy Carmichael, Hal Kemp, Tommy Dorsey, Wayne King, Glenn miller, Glen Gray, et Duke Ellington.

Ce concert est commandité par **Hydro-Québec**.

Billets : 13,20 $ à 42,70 $

– 30 –

Source :   xxx
             Coordonnatrice communication-marketing, 643-5598

130, GRANDE ALLÉE OUEST, QUÉBEC (QUÉBEC) G1R 2G7 TÉLÉCOPIEUR: (418) 646-9665 TÉL.: (418) 643-5598

questionne ces choix. Ainsi, tous les dimanches soirs dans les médias électroniques et tous les lundis matins dans les médias écrits, on retrouvera, en manchette, le nombre de morts accidentelles survenues au cours du week-end. On ne se demande plus si c'est important, si c'est utile, si c'est un bon choix. Cette information revient semaine après semaine depuis des décennies comme une logique implacable. Il s'agit d'une routine journalistique. Même si certains chercheurs, comme Auclair (1970), ont tenté de l'expliquer, il s'agit davantage pour les médias d'un réflexe que d'un véritable choix.

Lorsque l'on connaît les éléments qui construisent cette routine, il est plus facile de préparer des communiqués qui seront acceptés, non pas en vertu de leur valeur intrinsèque, mais plutôt en vertu de leur concordance à la routine. Nous allons présenter deux exemples de cette routine.

Le communiqué statistique

Les statistiques constituent une nouvelle intéressante, car elles peuvent toujours être définies comme un écart à la norme. De ce fait, elles font partie d'une logique implacable des médias. Chaque mois, en effet, les services d'Environnement Canada rapportent qu'on vient de traverser le mois le plus ensoleillé des dernières années ; ou le mois le moins ensoleillé ; ou le mois dont l'ensoleillement est égal à... Statistique Canada nous fait connaître l'évolution du taux de chômage, etc.

Ainsi, donc, une statistique est toujours une nouvelle et les médias nous en servent de façon régulière (exemples 12, 13 et 14). De ce fait, toute donnée quantitative bien enveloppée peut faire l'objet d'une nouvelle. Le communicateur aura compris qu'il ne faut pas attendre la nouvelle du siècle pour obtenir l'attention des médias, mais plutôt, il lui faut savoir se servir de leur logique pour créer de toute pièce une nouvelle, comme le démontrent les trois exemples suivants.

Désormais, l'entreprise peut diffuser les statistiques récentes relatives à l'entreprise ou à ses champs d'intérêt : augmentation du chiffre d'affaires, diminution de la fréquentation, hausse des prix, variation du taux de chômage, écart de température, 25e anniversaire, etc.

Exemple 12

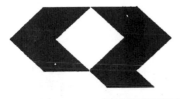

Société du port de Québec
Port of Québec Corporation

Communiqué

Pour diffusion immédiate

UN NOUVEAU RECORD POUR LE PORT DE QUÉBEC

Québec, 18 décembre 1996-Le Kestrel Arrow a séjourné au quai 101 dans le secteur de l'Anse au Foulon du 5 au 18 décembre, afin de charger 27 786 tonnes de marchandises générales à son bord. Cette cargaison est un record pour le Port de Québec pour un chargement de marchandises générales d'une si grosse quantité dans un seul navire. Cette cargaison est composée de 14 066 tonnes de pâte de bois, 4 937 tonnes de papier journal et 8 783 tonnes de granite.

Ce navire, en provenance de Valencia en Espagne, quitte le port aujourd'hui en direction de l'Asie via le canal de Panama. Au cours de son périple de deux mois, il touchera les ports de Nagoya, Xingang, Busan, Keelung, Hualien, Hong Kong, Zhanjiang, Surabaya et Jakarta.

"Ce chargement record en fin d'année est comme un cadeau de Noël pour toute la communauté portuaire" souligne M. Ross Gaudreault, président directeur général.

L'Agence océanique du Bas St-Laurent est l'agent maritime du Kestrel Arrow durant son escale à Québec et la compagnie d'Arrimage de Québec est responsable des opérations de chargement.

Le chargement étant pratiquement terminé, le navire océanique devrait quitter le Port de Québec dans la soirée.

-30-

Informations: XXX
Vice-president, Marketing
Port of Quebec Corporation
150, Dalhousie
P.O. Box 2268
Québec, Qc
G1K 7P7

Tél.:   418.648.4956
Fax: 418.648.4160
E-mail: marketing@portquebec.ca

Exemple 13

ÉDITORIAL □ OPINIONS

LE SOLEIL

LE VENDREDI 20 DÉCEMBRE 1996

CAHIER B

Chargement record

Le port de Québec vient d'enregistrer un nouveau record avec le chargement, au quai 101 dans le secteur de l'Anse au Foulon, du Kestrel Arrow. Entre le 5 et le 18 décembre, ce navire a reçu 27 786 tonnes de marchandises générales. C'est la plus grosse quantité jamais embarquée dans un seul navire à Québec pour ce type de cargaison. Celle-ci était composée de pâte de bois, de papier journal et de granite. C'est la Compagnie d'arrimage de Québec qui était responsable des services de chargement. Le navire vient de quitter Québec pour l'Asie via le canal de Panama.

Exemple 14

CHANTIER LES CANTONS-LÉVIS

437 087 heures de travail sans accident

THETFORD MINES — L'équipe du chantier de construction de la nouvelle ligne à 735 kilo volts (kV) Des Cantons-Lévis et du nouveau poste Appalaches d'Hydro-Québec a réalisé en 1995 une première dans les annales de la société d'État, soit de n'avoir enregistré aucun accident avec perte de temps durant les 437 087 heures travaillées au cours de la dernière année.

Cette performance remarquable a d'ailleurs permis au chantier Des Cantons-Lévis-Appalaches (DCLA), de mériter l'honneur attribué au plus grand chantier d'Hydro-Québec ayant eu le plus bas taux de fréquence en matière d'accidents en 1995.

Le vice-président du groupe équipements d'Hydro-Québec, M. René Boisvert, a récemment remis le trophée au chef du chantier DCLA, M. Georges Malone. Les gestionnaires de travaux Souhail Chaloui, pour la construction du poste Appalaches, et Guy Lussier, pour la construction du tronçon Appalaches-Kingsey de la ligne à 735 kV, ont également reçu un certificat de mérite pour le plus bas taux d'accident pour la construction d'un poste ainsi que dans le domaine des lignes.

D'après les commentaires de M. Roger Boudreau, coordonnateur en santé et sécurité au tra-

vail pour le chantier DCLA, cette réussite en est une d'équipe en raison de l'engagement global de la direction, des quelque 300 travailleurs, des entrepreneurs et du service d'inspection d'Hydro-Québec à prévenir les accidents de travail. M. Boudreau a également parlé de l'excellence du plan de prévention et de l'intégration de la santé et de la sécurité au travail au niveau de la gestion.

Une première dans les annales d'Hydro

Le chantier DCLA comprend la construction d'une nouvelle ligne à 735 kV entre les postes Lévis, en Chaudière-Appalaches, et Des Cantons, en Estrie, la construction d'un nouveau poste à Saint-Adrien-d'Irlande, près de Thetford Mines, et des travaux aux postes Lévis et Des Cantons. Il s'agit du plus important chantier d'Hydro-Québec en terme d'heures pour 1995.

La nouvelle ligne et le poste Appalaches devraient être mis en service en novembre. Les travaux auront coûté environ 330 millions $ à Hydro-Québec. Par ailleurs, le chantier DCLA a amené jusqu'à maintenant des dépenses régionales de près de 30 millions $.

Le communiqué nomination

Tout comme les statistiques, les nominations de personnalités connues ou les nominations à des postes prestigieux entraînent une couverture de presse généreuse. En fait, le nom fait la nouvelle. Il ne faut donc pas hésiter à faire connaître par voie de communiqué les nominations importantes au sein d'une entreprise.

Les grandes entreprises réservent aussi des espaces publicitaires pour annoncer de telles nominations, mais l'envoi d'un communiqué peut permettre une double couverture de presse. Ainsi, les exemples 15, 16 et 17 illustrent cette situation.

Les statistiques et les nominations ne sont que deux échantillons de la routine médiatique. La majorité des informations culturelles et sportives relève aussi de la même logique. Ainsi, tout ce qui entoure les sports professionnels exerce un attrait irrésistible auprès des médias, même s'il s'agit d'informations d'une grande médiocrité.

Le communiqué d'intérêt général

Sous ce vocable, nous regroupons tous les communiqués qui présentent un fait, une donnée, une personnalité, un produit, un service, une idée dans un contexte non conflictuel. Il s'agit du communiqué classique dans lequel une entreprise ou une organisation fait connaître un élément nouveau. C'est celui qui est utilisé comme moyen principal d'information dans la plupart des organisations (exemples 18 et 19).

On le distingue, d'une part, des communiqués de routine journalistique, car la thématique est plus originale et elle doit être réinventée à chaque fois ; et, d'autre part, des communiqués de prise de position, car le mode rédactionnel diffère, comme nous le verrons plus loin.

Le communiqué d'intérêt général n'a en soi aucune caractéristique principale, sauf celle de se situer par rapport à un écart à la norme. Il peut s'agir de la création d'un produit nouveau, de l'ouverture d'une usine, de la présentation d'un organisme, de l'expression d'une idée nouvelle.

Le fait de l'appeler communiqué d'intérêt général traduit bien son ambiguïté. Car il s'agit toujours d'information destinée à servir les

Exemple 15

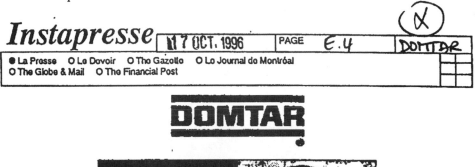

Instapresse

	1 7 OCT. 1996	PAGE	E.4	DOMTAR

(α)

● La Presse   O Le Devoir   O The Gazette   O Le Journal de Montréal
O The Globe & Mail   O The Financial Post

Raymond Royer   **Jacques Girard**

Domtar Inc. est heureuse d'annoncer la nomination de monsieur Raymond Royer au poste de Président et chef de la direction de la Société et celle de monsieur Jacques Girard au poste de Président du conseil d'administration.

M. Royer était précédemment Président et chef de l'exploitation de Bombardier Inc. Il est actuellement membre du Comité consultatif sur le commerce extérieur (CCCE) formé par le gouvernement canadien et de plusieurs conseils d'administration dont la Corporation Financière Power et la Banque Nationale du Canada. Il est membre du Barreau du Québec et Fellow de l'Ordre des comptables agréés du Québec. M. Royer est Officier de l'Ordre du Canada et détient des doctorats *honoris causa* de l'Université de Sherbrooke et de l'Université de Montréal (École Polytechnique).

M. Girard a précédemment œuvré au sein du Groupe Quebecor Inc. pendant plusieurs années avant d'accéder à la présidence en 1994. M. Girard est titulaire d'une maîtrise du *London School of Economics*. Il est Président de la Chambre de commerce du Québec et administrateur de plusieurs organismes à vocation économique, sociale ou culturelle, dont l'Université de Montréal, le Centre Hospitalier de l'Université de Montréal, Les Grands Ballets Canadiens et La Bibliothèque Nationale du Québec. Il est Officier de l'Ordre national du mérite de France.

Domtar est un important fabricant nord-américain de pâtes et produits forestiers, de papiers fins et d'emballages, qui contribue de façon significative au développement durable, notamment par l'application rigoureuse de sa politique de gestion intégrée des ressources forestières. Chef de file de la fabrication et de la vente de papiers d'impression et d'écriture, Domtar est aussi un des principaux producteurs canadiens de cartons-caisses et de cartonnages ondulés et l'un des plus importants producteurs de bois d'œuvre de l'est du pays.

Exemple 16

DOMTAR   communiqué

395, boul. de Maisonneuve Ouest, Montréal (Qc) H3A 1L6
INTERNET : HTTP://WWW.DOMTAR.COM

SOURCE ET RENSEIGNEMENTS:

XXX
Vice-président, communications et relations gouvernementales
Tél. : (514) 848-5103
E-mail :   @Email.DOMTAR.COM

SYMBOLE AU TÉLÉSCRIPTEUR : DTC (MSE, TSE, NYSE)

POUR DIFFUSION IMMÉDIATE

NOMINATIONS CHEZ DOMTAR INC.
**M. Raymond Royer devient Président et chef de la direction et
M. Jacques Girard devient Président du Conseil d'administration**

Montréal, le 12 juillet 1996 - Le Conseil d'administration de Domtar Inc. a annoncé aujourd'hui la nomination de M. Raymond Royer au poste de Président et chef de la direction de la Société et de M. Jacques Girard à titre de Président du Conseil d'administration.

M. Royer était jusqu'à tout récemment le Président et chef de l'exploitation de Bombardier, une multinationale oeuvrant dans le secteur manufacturier et des transports. Au cours de sa longue et fructueuse carrière, il a notamment contribué de première main à la croissance internationale de Bombardier et à son développement stratégique pour en faire une entreprise de calibre mondial. M. Royer se joindra à Domtar le 3 septembre 1996.

«J'ai hâte de me joindre à l'équipe de Domtar et de relever les défis intéressants qui m'y attendent. La Société est maintenant en excellente posture, tant au plan financier qu'opérationnel, et j'entrevois énormément de potentiel pour l'avenir,» de préciser M. Royer.

M. Jacques Girard, déjà membre du Conseil d'administration depuis le 23 avril 1996, a quant à lui occupé d'importantes fonctions chez Quebecor inc., où il a agi pendant plusieurs années comme Président du Groupe Quebecor inc., leur filiale dans le secteur de l'édition, de la distribution et de la vente au détail. La nomination de M. Girard prendra effet le 5 août 1996. M. Girard remplacera M. Gilles Blondeau, Président du Conseil et chef de la direction du Groupe Optimum, qui agissait à titre de Président intérimaire du Conseil d'administration de Domtar.

La structure temporaire des trois postes de vice-présidents du Conseil mise en place au début de 1995 pour appuyer les efforts du Président du Conseil intérimaire cessera d'exister dès l'arrivée de M. Royer. Messieurs J. V. Raymond Cyr, John D. Thompson et Pierre Lamy, démissionneront donc de ces postes mais demeureront membres du Conseil.

Domtar est un important fabricant nord-américain de pâtes et produits forestiers, de papiers fins et d'emballages, qui contribue de façon significative au développement durable, notamment par l'application rigoureuse de sa politique de gestion intégrée des ressources forestières. Chef de file de la fabrication et de la vente de papiers d'impression et d'écriture, Domtar est aussi un des principaux producteurs canadiens de cartons-caisses et de cartonnages ondulés et l'un des plus importants producteurs de bois d'œuvre de l'est du pays.

- 30 -

Note: Voir notes biographiques ci-jointes et photos sur Canapress.

Exemple 17

La Presse, 13 juillet 1996 p. E1

Nouvelle direction chez Domtar

RUDY LE COURS

Le conseil d'administration de la société papetière Domtar a procédé, à sa réunion d'hier, aux nominations de MM. Jacques Girard et de Raymond Royer, le premier à titre de président du conseil d'administration et le second de président et chef de la direction.

Si le bruit de la nomination de M. Girard courait depuis plusieurs mois — *La Presse* en avait fait état au printemps — celle de M. Royer fait figure d'heureuse surprise.

M. Royer, 57 ans, était jusqu'en mai numéro deux chez Bombardier, entreprise à laquelle il s'était joint en 1974. Sa démission, annoncée laconiquement un vendredi après-midi, avait été accueillie avec étonnement dans les milieux d'affaires.

Par la suite, des rumeurs non confirmées l'attribuaient à un profond différend sur la stratégie que Bombardier avait retenue face à la menace de faillite du constructeur aéronautique néerlandais Fokker.

M. Royer se joindra à l'équipe de Domtar à son retour de vacances le 3 septembre. De son côté, Jacques Girard, un ancien cadre supérieur chez Québecor, avait été nommé au conseil d'administration de Domtar le 23 avril.

La nomination de MM. Girard et Royer met peut-être fin à une crise à la direction de cette société déchirée au sommet par des querelles politiques. Cela avait commencé à l'époque où la présidence du conseil était occupée par Jean Campeau, identifié au Parti québécois, et la présidence de la direction à

Pierre Desjardins, un ancien organisateur de Robert Bourassa.

La démission de M. Campeau avait été obtenue après son engagement actif dans la campagne pour le NON lors du référendum sur les accords de Charlottetown. Il avait été remplacé par Paul Gobeil, un ancien ministre du gouvernement Bourassa.

Devenu ministre des Finances en 1994 après l'élection des troupes de Jacques Parizeau, M. Campeau avait obtenu le conseil de Domtar limoge à son tour MM. Desjardins et Gobeil. L'explication fournie faisait état du licenciement injustifié d'un vice-président, M. Stephen Larson. Celui-ci devait par la suite être nommé en remplacement de M. Desjardins qui, avec M. Gobeil, avaient entre-temps intenté

une poursuite contre Domtar. La cause est devant les tribunaux.

L'an dernier, M. Larson avait quitté la papetière après avoir accepté une offre très alléchante de Repap. Depuis, Domtar était dirigé par un président du conseil intérimaire Gilles Blondeau, et par un triumvirat temporaire formé de JV Raymond Cyr, John D Thomson et Pierre Lamy, tous membres du conseil.

Hier, M. Denis Couture, le porte-parole de Domtar, a refusé de préciser les termes de la rémunération de MM. Girard et Royer. Ils seront connus, a-t-il dit, lorsque les circulaires de convocation à l'assemblée annuelle seront envoyées aux actionnaires, début 1997.

Les règles des bourses de Toronto et de New York obligent la di-

vulgation détaillée de la rémunération des cinq principaux dirigeants des entreprises.

Au poste de président du conseil, un emploi à temps partiel, MM. Paul Gobeil et Jean Campeau avaient eu droit à des émoluments de l'ordre de 150 000 $ par année. En 1994, année de lourdes pertes, la rémunération globale de M. Desjardins s'était élevée à 520 000 $. En 1995, qui marquait un retour aux profits, M. Larson avait touché pas moins de 850 000 $. Domtar est une société papetière ayant son siège social à Montréal et pour actionnaires principaux la Société générale de financement et la Caisse de dépôt et placement du Québec. Ces deux sociétés détiennent ensemble 47 % des actions.

Exemple 18

LE
F NDS
DE SOLIDARITÉ
DES TRAVAILLEURS
DU QUÉBEC (FTQ)

8717, rue Bern. Montréal (Québec) H2M 2T9
Téléphone : (514) 383-8383 • Sans frais : 1 800 361-5017
Télécopieur : (514) 383-2552
Internet : http : // www.fondsftq.com

COMMUNIQUÉ
COMMUNIQUÉ
COMMUNIQUÉ
COMMUNIQUÉ
COMMUNIQUÉ
COMMUNIQUÉ
COMMUNIQUÉ
COMMUNIQUÉ
COMMUNIQUÉ
COMMUNIQUÉ
COMMUNIQUÉ

POUR DIFFUSION IMMÉDIATE

5,1 MILLIONS DE DOLLARS
POUR LE TRAITEMENT DE LA SCOLIOSE

Montréal, le 20 février 1997 ■ Le Fonds de solidarité des travailleurs du Québec (FTQ) a annoncé aujourd'hui un investissement de 1,5 million de dollars dans Biorthex inc., pour un investissement total de 5,1 millions de dollars, auquel s'est joint Innovatech du Grand Montréal, BioCapital et Lévesque Beaubien Geoffrion. Cet investissement permettra de créer vingt-deux nouveaux emplois à court terme et une quinzaine d'autres d'ici trois ans, lesquels seront principalement dédiés à la recherche.

Biorthex inc. est spécialisée dans la recherche et le développement de produits pour corriger les déformations de la colonne vertébrale, maladie connue sous le nom de scoliose idiopathique. Les deux produits, qui seront développés et fabriqués au Québec, sont un corset dynamique de correction et un implant chirurgical pour les cas les plus sévères.

« Ce projet permettra d'attirer des chercheurs d'envergure internationale, de mettre en valeur notre expertise dans les domaines connexes aux produits de la santé et, ultimement, d'attirer d'autres entreprises du même genre à venir s'installer au Québec », a déclaré M. Clément Godbout, président du conseil d'administration du Fonds de solidarité (FTQ).

Biorthex inc. a été fondée en 1993 afin de développer et commercialiser des produits reliés au traitement de la scoliose idiopathique, une maladie qui affecte principalement les adolescentes de 10 à 16 ans. Les travaux de recherche ont été menés par des chercheurs de l'Hôpital Sainte-Justine, notamment par le docteur Charles-Hilaire Rivard, considéré comme une sommité mondiale dans ce domaine.

« Ce projet devrait générer d'importantes retombées économiques, le marché potentiel pour le corset étant évalué à près de 300 millions de dollars US tandis que celui de l'implant chirurgical serait de 350 millions de dollars US », a tenu à préciser M. Claude Blanchet, président-directeur général du Fonds.

Biorthex inc. consacrera principalement ses efforts à assurer le suivi clinique des patients pour confirmer l'efficacité de son corset dynamique de correction et constituer la documentation requise à son utilisation. Le président de la compagnie, M. Sylvain Gareau, prévoit la commercialisation du corset pour l'année 1998 et celle de l'implant chirurgical, pour l'an 2001. Il n'existe actuellement aucun autre type de corset ayant les caractéristiques du corset 3D de Biorthex. Plus esthétique, il est aussi adaptable à la croissance du patient. Pour ce qui est de l'implant chirurgical, il présente également de nombreux avantages : flexibilité, élimination des greffes osseuses, condition postopératoire améliorée et réversibilité.

Le Fonds de solidarité des travailleurs du Québec (FTQ), dont l'actif s'élève à 2 milliards de dollars, est un fonds d'investissement qui fait appel à l'épargne des Québécoises et des Québécois afin de contribuer à créer et à maintenir des emplois au sein des entreprises et de participer au développement économique du Québec. Le Fonds compte maintenant plus de 330 000 actionnaires et il a contribué, seul ou avec d'autres partenaires financiers, à la création, au maintien et au soutien de plus de 52 000 emplois.

- 30 -

Sources :   XXX
Conseillère aux communications
Fonds de solidarité des travailleurs du Québec (FTQ)
(514) 383-8383

Président
Biorthex inc.
(514) 591-3442

Exemple 19

COLLÈGE DES MÉDECINS
DU QUÉBEC

150 COMMUNIQUÉ

| SOURCE : Service des communications | DIFFUSION : | Immédiate |

EFFECTIFS MÉDICAUX : LE COLLÈGE DES MÉDECINS DU QUÉBEC LANCE UN CRI D'ALARME

Montréal, le 18 avril 1997 – Dès l'an 2000, l'offre de services médicaux sera inférieure à la demande et l'écart s'élargira par la suite jusqu'en 2015, à moins d'une hausse immédiate du nombre d'admissions en médecine. De l'avis du président du Collège, «afin de maintenir une médecine de qualité, il est impérieux d'assurer le renouvellement de l'effectif médical permettant de retrouver en 2006 l'équilibre entre l'offre et la demande de services médicaux atteint en 1986.»

Ce constat inquiétant découle, notamment, des données d'une étude effectuée pour le compte du Collège par le Groupe de recherche interdisciplinaire en santé de l'Université de Montréal (GRIS). Cette étude porte sur une analyse statistique de la situation des effectifs médicaux de 1980 à 1994 avec projections pour les années 2000.

Le déséquilibre annoncé entre l'offre et la demande de services médicaux s'explique par la coexistence de plusieurs facteurs résultant, dans une certaine mesure, de politiques gouvernementales appliquées depuis une quinzaine d'années et qui se sont resserrées récemment à cause du contexte budgétaire. Ces principaux facteurs sont :

- la diminution importante du nombre d'admissions en médecine, soit 75 postes depuis trois ans;
- le vieillissement des effectifs qui touche plusieurs spécialités et désormais la médecine de famille, assorti d'une diminution importante du nombre d'heures travaillées;
- l'augmentation du nombre de femmes en médecine, dont l'effectif a doublé entre 1980 et 1994, et son impact sur le nombre d'heures travaillées;
- la diminution générale du nombre moyen d'heures travaillées observée tant chez les hommes que chez les femmes, qu'ils soient omnipraticiens ou spécialistes.

temps de travail. En tenant compte de ces deux phénomènes, la croissance de la disponibilité (nombre d'heures travaillées) ne sera plus de 9,4 % mais bien de 3,3 %, soit 4 fois moins que celle des besoins de la population.

Évolution des effectifs depuis 1994

Depuis un an, le Collège, avec le concours de son Groupe de travail sur les effectifs médicaux et de par son statut d'observateur à la Table des présidents et vice-présidents des Commissions médicales régionales, participe activement à la recherche de solutions viables à une répartition des effectifs médicaux qui tienne compte des besoins particuliers à chaque région, à la lumière des éléments suivants :

- la diminution du nombre d'admissions en médecine (porte de 75 postes depuis trois ans);
- la pénurie déjà observable en médecine de famille;
- l'impact de la transformation du réseau de la santé, notamment la hiérarchisation des soins;
- l'impact des programmes de mise à la retraite offerts aux médecins en 1996;

À ce jour, environ 300 médecins de famille et près de 400 médecins spécialistes se sont prévalus de ces programmes.

- les propositions que déposera sous peu le Collège des médecins à la Table de concertation sur les effectifs médicaux.

En conséquence, le Collège des médecins du Québec réclame que des mesures immédiates soient prises pour corriger la situation au plus tôt dans l'intérêt même des patients qui ont droit à recevoir des soins de qualité.

- 30 -

Renseignements : XXX
Directrice du Service des communications
Collège des médecins du Québec
(514) 933-4441 ou 1 888 MÉDECIN, poste 278

2170, boul. René-Lévesque Ouest Montréal (Québec) H3H 2T8
Tél. : (514) 933-4441 ou 1 888 MÉDECIN Téléc. : (514) 933-3112

intérêts de l'entreprise qui l'émet. Mais celle-ci doit savoir traduire ses préoccupations privées en intérêt public.

Parmi ces communiqués d'intérêt général, il s'en trouve deux types particuliers qui répondent à des besoins spécifiques. Il s'agit de l'avis officiel et du communiqué obligatoire.

L'avis officiel

Ce communiqué provient habituellement des autorités politiques. Il peut être, cependant, utilisé par une entreprise ou une institution dont les décisions ont des répercussions directes sur les citoyens consommateurs. Ainsi, Hydro Québec peut annoncer une coupure de courant de telle heure à telle heure ou une augmentation de ses tarifs. Un magasin peut annoncer la fin de ses activités. Un syndicat peut annoncer une grève. Nous vous présentons un exemple de ce type de communiqué (exemple 20).

La nouvelle que ce communiqué transmet doit avoir un impact réel sur la société. De ce fait, elle est habituellement reprise par tous les médias d'information à titre de service public.

Le communiqué obligatoire

La loi oblige certaines entreprises à faire connaître publiquement divers faits au public. Il en est ainsi de la Commission des valeurs mobilières ou des différentes « Bourses » qui obligent, par exemple, une entreprise cotée à faire connaître tout nouveau contrat, développement, etc. (exemple 21). Les communiqués émis dans ces circonstances doivent être extrêmement précis et ne négliger aucun détail ni taire certains faits, sous peine de poursuites judiciaires. Morton et Loving (1994a) citent des cas de condamnations de relationnistes qui ont émis et signé des communiqués qui véhiculaient des faits inexacts.

Dans certains cas de poursuite en diffamation, à la suite de la parution dans les médias de propos offensants, la partie incriminée, qui souvent est le média, fait connaître, avant la tenue du procès, ses regrets pour les propos qu'elle a tenus et qu'elle croyait exacts, s'en excuse et regrette les inconvénients que cela a pu causer à l'autre partie.

Exemple 20

Communiqué
de presse

Pour diffusion immédiate

Montréal, le jeudi 07 septembre 1995

Invitation aux médias
Livraison du premier transformateur au futur poste appalaches

Les journalistes de la région de l'Estrie sont invités à assister au départ du convoi transportant la première phase d'un volumineux transformateur destiné au nouveau poste Appalaches.

L'appareil quittera la gare de Lac-Mégantic lundi le 11 septembre prochain. Le convoi se mettra en route vers 5 heures.

Les journalistes qui désirent rejoindre le convoi pour préparer un reportage pourront le faire à n'importe quel moment de la journée. Le convoi se déplacera à une vitesse de 5 km/h et atteindra Sainte-Cécile-de-Whitton vers 10 heures, et poursuivra sa route par la suite.

Un porte-parole de l'entreprise suivra le convoi et pourra répondre à toutes vos questions. Vous pourrez rejoindre Daniel Bourgeois au (514) 386-9646.

N.B.: Vous trouverez ci-joint une copie de la brochure distribuée le mois dernier aux résidents des municipalités touchées par le transport du transformateur.

————————————————————— 30 —————————————————————

Pour renseignements: # 1995-063 F
Hydro-Québec
Relations avec les médias
Steve Flanagan
tel: (514) 289-2220

Exemple 21

Communiqué

BOMBARDIER FAIT L'ACQUISITION DE 49 %
DU CAPITAL-ACTIONS QUE DÉTIENT L'ONTARIO
DANS DE HAVILLAND

Montréal, le 28 janvier 1997 - Bombardier Inc. a finalisé l'acquisition de 49 % du capital-actions que détenait la province de l'Ontario dans de Havilland pour un montant de 49 millions de dollars.

Selon les termes de cette transaction, Bombardier a émis en faveur de la Province de l'Ontario un billet promissoire de 15 ans portant intérêt au taux de 7%. Le capital sera remboursé à raison de 4,9 millions de dollars à la fin de chaque année, à compter de la sixième jusqu'à la quinzième année inclusivement. Bombardier a également convenu de poursuivre à de Havilland l'assemblage final d'avions et de la participation de celle-ci aux programmes d'avions du Groupe Aéronautique, de diversifier les activités de l'entreprise, d'y maintenir des compétences d'ingénierie, de continuer d'investir dans les installations et l'équipement ainsi que de favoriser la recherche de fournisseurs canadiens.

Le 22 janvier 1992, Bombardier et le gouvernement de l'Ontario ont signé une entente avec The Boeing Company pour l'achat de l'exploitation et l'actif de la division de Havilland de Boeing. L'acquisition a été réalisée par l'entremise d'une nouvelle société, de Havilland Holdings Inc., dotée d'un avoir de 100 millions de dollars canadiens, dont 51 % a été fourni par Bombardier et 49 % par la province de l'Ontario. Dans le cadre de l'acquisition, Bombardier a obtenu le droit d'acheter, et la province de l'Ontario celui de vendre à Bombardier, au cours de la période du 1er février 1996 au 31 janvier 1997, la totalité de la participation de la province de l'Ontario dans de Havilland, pour un montant de 49 millions de dollars.

Fondée au Canada en 1928, de Havilland conçoit et fabrique des avions régionaux à turbopropulsion. En plus de fabriquer ses biturbopropulseurs Dash 8* à 37, 50 et 70 places, la division exécute l'assemblage final des avions d'affaires Global Express* de Bombardier, conçoit et fabrique l'aile du nouvel avion d'affaires de petite taille

---

BOMBARDIER INC.

Learjet 45 et effectue pour le compte de Bombardier des travaux ayant trait à l'aéronautique. La Division des avions régionaux de Bombardier y a également établi ses bureaux de commercialisation et service après-vente de la gamme d'appareils Dash 8 et Regional Jet* de Canadair. Située à Downsview (Toronto), de Havilland emploie 5 600 personnes.

Bombardier Inc. est une société canadienne qui exerce ses activités de conception, de développement, de fabrication et de commercialisation dans les domaines du matériel de transport, de l'aéronautique, des produits de consommation motorisés et des services reliés à ses compétences spécifiques. Son siège social est situé à Montréal et elle exploite des usines au Canada, aux États-Unis, au Mexique, en Allemagne, en Autriche, en Belgique, en Finlande, en France et au Royaume-Uni, employant 40 000 personnes. Son chiffre d'affaires pour l'exercice clos le 31 janvier 1996 s'élevait à 7,1 milliards de dollars canadiens. La Société réalise plus de 85 pour cent de ses revenus à l'extérieur du Canada.

-30-

Source d'information: XXX
Vice-président, Communications
et relations publiques
(514) 861-9481

Adresse Internet: www.bombardier.com

* Marque de commerce de Bombardier Inc.

Lorsqu'il y a des erreurs de prix dans les circulaires des grandes chaînes d'alimentation, c'est-à-dire lorsqu'il y a eu une erreur de transcription, les chaînes concernées peuvent en aviser leur clientèle dans les médias pour ne pas être accusées de publicité trompeuse, selon la loi de l'Office de protection des consommateurs.

Le communiqué devient dans tous ces cas un moyen pratique, entre autres, de satisfaire aux exigences de la loi.

Le communiqué de prise de position

Le propre du communiqué de prise de position est d'être engagé dans le ton, alors que le communiqué traditionnel exige une grande neutralité. Le premier est personnalisé, le second, dépersonnalisé. Le premier utilise toute la gamme des émotions, de la passion à l'insulte. Le second est de marbre. Le premier qualifie les éléments, le second présente les faits. Ce n'est donc pas tant le contenu qui fait la différence que l'approche.

Il peut prendre diverses formes, soit être contestataire (déclaration contre l'avortement), soit provocateur (groupe mettant en demeure un adversaire de se prononcer), soit rectificatif (une mise au point, une lettre de mécontentement d'un individu, d'une entreprise).

Dans le premier cas, il peut transmettre les paroles d'un représentant. Dans le deuxième, il met en accusation, il dénonce. Et dans le dernier, il rectifie des informations déjà émises. Dans ce cas, l'entreprise qui émet le communiqué doit éviter de répéter les informations qu'elle veut corriger, car ce faisant, on les ferait circuler une deuxième fois! Plutôt que de dénoncer une accusation et, de ce fait, l'exprimer de nouveau, il suffit d'utiliser une phrase comme celle-ci : «Les médias ont attiré l'attention récemment sur tel élément ou tel événement. Il serait, utile pour le public d'apporter les précisions suivantes...» Et suit la rectification sans qu'il soit nécessaire de répéter l'accusation.

Le monde politique, tout comme le monde économique ou social, utilise abondamment ce type de communiqué.

Le communiqué politique

Dans plusieurs entreprises, il y a une double structure de communication. La structure administrative animée par un directeur des communications et la structure politique dirigée par un attaché de presse. L'une et l'autre peuvent émettre le même type de communiqué, mais elles n'utiliseront pas le même ton. La première sera neutre et factuelle. La seconde sera partisane et politisée. Les administrations gouvernementales possèdent cette double structure de même qu'un certain nombre d'entreprises privées.

Alors que le directeur des communications diffusera des informations sur la vie de l'entreprise, l'attaché de presse centrera ses interventions sur la personnalité qui la dirige dans le but d'en tirer un avantage politique et de projeter de celle-ci une image positive. L'information ainsi diffusée se rapproche de la propagande, car elle a pour but « d'affecter les modes de sentir, de penser et d'agir d'un groupe d'individus, dans une certaine direction... » (Mattelart et Mattelart, 1979, p. 267).

Dans l'exemple 22, issu du gouvernement du Québec, la ministre des Affaires culturelles et des Communications d'alors s'indigne de la nouvelle politique fédérale de subventions aux organismes culturels. Il s'agit là d'un débat qui repose essentiellement sur des préoccupations politiques.

Les exemples 23 et 24 traitent de la nomination d'un haut fonctionnaire au poste de président d'une régie. Dans le communiqué politique émis pour annoncer la nouvelle, l'information est toutefois centrée autour du ministre dont le nom apparaît aussi souvent dans le communiqué que celui du nouveau président.

Le communiqué politique a sa raison d'être et permet à toute entreprise ou ministère de mettre de l'avant ses orientations politiques. C'est ainsi que l'on verra de grandes entreprises industrielles se prononcer lors des choix référendaires ou électoraux ou sur des questions politiques qui les concernent directement (exemple 25). Ce sont donc des communiqués engagés.

Toutefois, les médias sont plutôt réservés face à la politisation excessive des communiqués par certains attachés de presse lorsque l'information livrée est plus partisane que factuelle. Ils ont vite fait de repérer

Exemple 22

COMMUNIQUÉ

Gouvernement du Québec

Cabinet de la ministre de la Culture et
des Communications et ministre responsable
de la Charte de la langue française

CNW 10
CODE 01

Pour diffusion immédiate

Subventions fédérales aux organismes culturels:

Louise Beaudoin dénonce les pressions politiques de Sheila Copps

Québec, le 5 décembre 1996.- La ministre de la Culture et des Communications, madame Louise Beaudoin, s'est dit stupéfaite par l'attitude de la ministre fédérale du Patrimoine, Sheila Copps, et du chantage que cette dernière semble vouloir exercer auprès des organismes culturels qui reçoivent des subventions du gouvernement fédéral.

Depuis quelque temps en effet, chaque organisme culturel qui reçoit une subvention du ministère du Patrimoine Canada reçoit une lettre signée par la ministre Copps, lettre qui les encourage à « susciter parmi la population canadienne une appréciation de notre pays et de notre citoyenneté qui nous confère des privilèges enviés à l'échelle mondiale ». Cette nouvelle politique a été confirmée hier par le bureau de madame Copps.

« Nos institutions culturelles, nos organismes et nos artistes doivent pouvoir continuer à produire et à créer en toute indépendance, à l'abri de telles ingérences idéologiques ou partisanes. Je demande à madame Copps de laisser les artistes et les institutions culturelles en paix », a-t-elle également lancé, ajoutant que « personne ne doit se laisser impressionner par cette grossière tentative d'intimidation ».

Faisant allusion aux 43 millions de dollars que la ministre Copps consacre actuellement dans des campagnes de promotion de l'unité canadienne via son programme de promotion du drapeau canadien et le Bureau d'information du Canada (BIC), la ministre Beaudoin en a déduit que les artistes et les milieux culturels québécois faisaient maintenant partie de la stratégie fédérale. « J'encourage plutôt madame Copps à consacrer son argent à de meilleures fins. À la culture, par exemple, pas une culture sanctionnée par le gouvernement fédéral mais une culture vivante et libre, affranchie des dictats », a-t-elle conclu.

- 30 -

Source: XXX
          Cabinet de la ministre
          Tél.: (418) 643-2110
          Hugo.Seguin@mccq.gouv.qc.ca

Exemple 23

Gouvernement du Québec
Ministère des
Communications

POUR DIFFUSION IMMEDIATE
TELBEC - CODE 1

Le ministre des Communications

MONSIEUR ANDRE DUFOUR, PREMIER PRESIDENT DE LA REGIE
DES TELECOMMUNICATIONS DU QUEBEC

Québec, le 4 novembre 1988 -- Le ministre des Communications du Québec, monsieur Richard D. French, est heureux de souligner la nomination de monsieur André Dufour comme premier président de la Régie des télécommunications du Québec, organisme qui succèdera le 9 novembre prochain à la Régie des services publics du Québec.

Diplômé en droit, monsieur Dufour apporte à la Régie une vaste expérience professionnelle acquise principalement dans le monde universitaire et dans l'administration publique. Vice-recteur exécutif de l'Université Laval de 1977 à 1987, monsieur Dufour vient de compléter un stage au Conseil de l'Europe à Strasbourg.

"Assurer la transition entre ces deux régies, dans un secteur d'activité aussi complexe que celui des communications, représente un défi considérable, précise monsieur French. Il ne fait aucun doute que grâce à sa formation et à ses compétences, monsieur Dufour saura s'acquitter de cette tâche avec brio".

Monsieur French tient également à rendre hommage et à féliciter l'ex-président de la Régie des services publics, le juge Jean-Marc Tremblay, qui occupait ce poste depuis 5 ans.

"Monsieur Tremblay a assumé la présidence de la Régie pendant une période où d'importants changements, particulièrement d'ordre technologique, sont venus bouleverser le secteur des communications. Je lui adresse mes sincères remerciements pour le travail accompli".

-30-

Source: XXX
Attaché de presse
Cabinet du ministre des Communications
(418) 643-7843

Exemple 24

André Dufour à la présidence de la Régie des télécommunications

Presse Canadienne

QUÉBEC

■ M. André Dufour deviendra le premier président de la Régie des télécommunications du Québec, ce nouvel organisme qui succédera le 9 novembre à l'actuelle Régie des services publics, a annoncé hier le premier ministre Robert Bourassa.

Âgé de 51 ans, il possède une solide formation académique et une carrière bien remplie tant dans le domaine de l'éducation qu'au service du gouvernement.

M. Dufour, un diplômé en droit et en sciences politiques, sera chargé d'assurer la transition entre les deux régies.

A18

LA PRESSE, MONTRÉAL, SAMEDI 5 NOVEMBRE 1988

Exemple 25

COMMUNIQUÉ

Renseignements :   **Pour diffusion immédiate**
XXX   **Le mercredi 4 juin 1997**
(514) 288-5161

**Projet de loi no 79 sur la
déjudiciarisation de la CSST :
satisfaction du C.P.Q.**

Montréal, le 4 juin 1997 - C'est avec satisfaction que le Conseil du Patronat du Québec (C.P.Q.) a pris connaissance de l'accord intervenu aujourd'hui à l'Assemblée nationale au sujet du projet de loi no 79 visant à déjudiciariser les procédures d'appel de la CSST.

Selon cet accord intervenu entre le Parti Libéral et le Parti Québécois, les délais d'appel des travailleurs accidentés insatisfaits d'une décision de la CSST à leur égard, seront dorénavant réduits et le processus, beaucoup moins judiciarisé.

« Il faut souligner le travail fait dans ce dossier par le ministre du Travail, monsieur Matthias Rioux, et par monsieur Réjean Beaudet, porte-parole de l'opposition officielle dans le domaine du travail, ont dit MM. Ghislain Dufour et Denis Beauregard, respectivement président du conseil d'administration et président du C.P.Q. Ils ont su placer le bien-être des travailleurs bien avant toute considération partisane, malgré les pressions indues dont ils ont été l'objet, notamment de la CSN. Ils ont fait leur travail avec honnêteté et toute visière levée. »

Le C.P.Q. a toujours appuyé l'objectif de déjudiciarisation mis de l'avant par l'ex-président de la CSST, monsieur Pierre Shedleur. Cette démarche pourtant très favorable aux travailleurs a cependant été vivement contestée par la CSN notamment, qui revendiquait l'abolition du Bureau d'évaluation médicale et la disparition du paritarisme au sein de la nouvelle Commission des lésions professionnelles. Toutes ces discussions ont duré plus de deux ans.

« Les employeurs et les travailleurs sortent gagnants de cette longue saga, ont dit MM. Beauregard et Dufour, et il faut s'en réjouir. »

(30)

les attachés de presse qui ont la mauvaise habitude de politiser tous les communiqués. S'il est vrai que l'un des principes du communiqué est de faciliter la tâche des journalistes, en politisant les communiqués inutilement, les attachés de presse compliquent le travail des gens des médias. Car ceux-ci doivent reformuler la nouvelle en termes plus neutres, comme nous le démontre l'article de presse (exemple 24) sur la nomination du haut fonctionnaire dont on vient de parler. La nouvelle de presse a exclu toute allusion politique.

Le communiqué de rivalité économique

Le monde économique est en constante lutte contre des concurrents et adversaires. Cette lutte peut s'exprimer par la mise en valeur de la qualité, des bas prix ou de l'accessibilité des produits. Il s'agit là de la communication commerciale classique. Mais de plus en plus, les entreprises vont comparer sur la place publique leurs produits à ceux de leurs compétiteurs sans hésiter à prendre position sur la qualité, la durabilité, l'efficacité des produits concurrents. Elles n'hésiteront pas non plus à condamner certaines pratiques de leurs adversaires (exemple 26).

Le communiqué des groupes de pression

Sur la place publique, les groupes de pression sont omniprésents. Ils défendent leur cause, contestent les décisions qui ne leur sont pas favorables et prennent position de façon ferme sur ce qui peut faire avancer leur cause (exemple 27).

Pour Jacques Bouchard (1981), «La publicité des causes civiques proteste, nie, accuse, nadérise, mobilise et fait un ram-dam de tous les tonnerres de dieu. Les homosexuels vont affirmer leurs droits ; les femmes proclameront leur libération ; les déportés cubains leur cause ; les consommateurs leur existence : les tenants de l'avortement leur liberté ; les minorités leur existence ; les cyclistes, leurs pistes. » Et l'on pourrait ajouter : et Brigitte Bardot, la survie des bébés phoques.

Ce sont toujours des communiqués engagés, dont le ton parfois dénonciateur, parfois revendicateur s'éloigne de la neutralité exigée du communiqué traditionnel. Mais il s'agit là d'un genre accepté parce qu'il est toujours l'expression officielle d'une entreprise sur un sujet qui la concerne.

Exemple 26

LE DEVOIR, 21 mai 1997, p. 33

Molson poursuit Labatt

Codes dateurs faussés

PRESSE CANADIENNE

Vancouver — Les Brasseries Molson ont confirmé hier avoir intenté une poursuite civile contre leur rivale Labatt, affirmant que cette dernière a apposé sur certaines caisses de bière des codes dateurs ne correspondant pas à ceux datés sur les bouteilles.

Dans le texte de l'action déposée devant la Cour suprême de Colombie-Britannique, le 29 avril dernier, Molson fait part d'une différence atteignant jusqu'à deux mois entre les codes dateurs et le moment du brassage de la bière.

Molson soutient que cette pratique enfreint la loi fédérale sur la concurrence et la Trade Practice Act de Colombie-Britannique. Elle réclame qu'on interdise à Labatt d'y avoir recours.

«Cette pratique peut induire en erreur les détaillants, les distributeurs et les consommateurs qrisés», a déclaré le brasseur dans un communiqué émis depuis Vancouver.

Molson fait état de trois marques de bière Labatt, soit John Labatt Classic, Labatt Genuine Draft et Kootenay Black Lager, dont la datation sur la caisse ne correspond pas à celle des bouteilles à l'intérieur.

Pour sa part, Labatt a qualifié la poursuite de futile, y voyant un exercice de relations publiques, et a estimé qu'elle reflétait le dépit de Molson face à la diminution de sa part de marché en Colombie-Britannique.

Le porte-parole de Labatt, Bob Chant, a reconnu que le brasseur avait placé des stocks de certaines marques de bière dans des entrepôts réfrigérés afin de répondre à la demande et parce que ses installations de New Westminster, en Colombie-Britannique, avaient été fermées durant neuf semaines en raison de travaux d'agrandissement. «Afin de nous assurer de pouvoir répondre à la demande, nous avons placé certains produits au froid», a déclaré M. Chant lors d'une entrevue accordée depuis Toronto. «Il s'agit d'une pratique à laquelle le nous n'avons recours qu'en de circonstances exceptionnelles, a-t-il poursuivi. Mais il est largement connu que l'entreposage au froid prolonge la durée de vie de la bière à la fraîcheur du produit jusqu'à deux mois.»

Cette poursuite traduit la compétition qui fait rage au sein de l'industrie brassicole canadienne, frappée ces dernières années par une faible croissance et une marge bénéficiaire serrée.

Depuis un certain temps, Molson cède du terrain à Labatt, dont le siège social se trouve à Toronto et qui appartient au groupe brassicole belge Interbrew. Les Brasseries Molson sont contrôlées à 40 % par les Compagnies Molson, à 40 % par le groupe brassicole australien Foster et à 20 % par la brasserie américaine Miller.

Exemple 27

E/ CEQ

Communiqué de presse

Centrale
de l'enseignement
du Québec

La CEQ n'appuiera aucun parti politique

Montréal, le lundi 5 mai 1997 - Conformément à sa tradition, la Centrale de l'enseignement du Québec n'appuiera aucun parti politique au cours de la présente campagne électorale fédérale. La Centrale ne se désintéresse pas pour autant des programmes des partis et des engagements que prennent les candidates et candidats à l'élection du 2 juin.

Ainsi, la présidente de la CEQ, Lorraine Pagé, identifie deux grands enjeux dans cette campagne électorale. D'abord, la lutte au déficit, qui a été menée jusqu'à maintenant au détriment de la création d'emplois et du maintien des programmes sociaux, ce qui a pour effet d'appauvrir des couches de plus en plus larges de la population. Également, la reconnaissance du Québec comme peuple et la reconnaissance de son droit à décider lui-même de son avenir. Rappelons que, depuis son Congrès de 1990, la Centrale a le mandat de militer en faveur de l'indépendance nationale du Québec.

À l'issue du scrutin, quel que soit le résultat, la CEQ continuera à revendiquer, au-delà de l'assainissement des finances publiques, des politiques favorisant une relance de l'emploi et la préservation du filet de sécurité sociale. Elle s'attend également à ce que le gouvernement fédéral adopte rapidement l'amendement constitutionnel à l'article 93 qui permettrait enfin au Québec d'adapter ses structures scolaires aux réalités d'aujourd'hui.

- 30 -

Renseignements: XXX
Attachée de presse, CEQ
Tél.: (514) 356-8888 ou
cell.: (514) 234-3234

Siège social
9405, rue Sherbrooke Est
Montréal, QUÉBEC
H1L 6P3
Téléphone : 514/356-8888
Télécopieur 514/356-9999

Bureau de Québec
1170, boul. Lebourgneuf
Bureau, 300
Québec, QUÉBEC
G2K 2G1
Téléphone : 418/627-8888
Télécopieur 418/627-9999

Il va sans dire que ces communiqués de prise de position sont éminemment prisés par les médias, puisqu'ils alimentent la controverse et que celle-ci fait partie de leur menu quotidien. À la limite, on pourrait suggérer aux entreprises de toujours rechercher la controverse, de présenter leur point de vue sur le mode de la contestation plutôt que sur celui de la démonstration. À titre d'exemple, une entreprise peut émettre un communiqué pour faire valoir ses préoccupations, son point de vue et ses ambitions. Mais si elle choisit de **contester** la situation actuelle qui l'empêche d'assumer ses responsabilités, de **critiquer** l'attitude des autorités qui adoptent des décisions inquiétantes, de **dénoncer** ses adversaires, le communiqué vient de prendre une valeur ajoutée aux yeux des médias. Il faut donc apprendre à présenter son point de vue de façon contradictoire.

Le communiqué d'arrière-plan

Il s'agit d'une forme de communiqué utilisée surtout dans les pochettes de presse. C'est en quelque sorte un communiqué d'information de base sur une entreprise ou sur un événement. Il ne constitue pas une nouvelle en soi. Mais il accompagne un renseignement important. Ce communiqué n'est donc jamais distribué seul.

Il est utilisé notamment pour dresser l'historique de l'entreprise ou de l'événement en question. Il sert de référence à ceux qui connaissent peu la situation qui fait l'objet de la nouvelle. Un peu plus rarement, ce communiqué peut procurer des arguments ou des exemples qui justifient une position de l'entreprise.

Lorsqu'une entreprise, par exemple, lance un produit, toute la nouvelle est centrée sur ce nouveau produit. Mais dans la pochette de presse, il est utile d'inclure un communiqué qui donne les grandes lignes de l'entreprise, ses caractéristiques, son chiffre d'affaires et ses points d'excellence.

Un tel texte doit toutefois répondre aux normes de rédaction d'un communiqué, car il peut être utilisé de la même façon.

L'erratum

Il peut arriver à l'occasion qu'on se rende compte que le communiqué, une fois émis, contient des erreurs. Les plus fréquentes sont d'ordre typographique ou grammatical.

Si c'est une erreur manifeste comme une contradiction parce qu'il manque, par exemple, une négation on peut présumer que l'erreur sera corrigée par les médias. Et si elle est publiée telle quelle, le lecteur ou l'auditeur pourra rectifier lui-même l'information.

Lorsque l'erreur n'est pas manifeste et ne change pas vraiment l'information diffusée, comme la diffusion d'un titre incorrect ou d'une information inexacte dans le cadre d'un texte, il faut éviter de téléphoner aux médias : vous risqueriez qu'ils y accordent une importance plus grande qu'elle ne le mérite.

Mais dans certaines circonstances, il est préférable de corriger l'erreur, car l'information initiale peut entraîner des inconvénients désagréables, blesser des amours-propres ou fournir des renseignements incomplets (exemples 28 et 29).

Il arrive aussi que certains éléments du communiqué n'auraient pas dû être diffusés. Ou que pendant les heures qui précèdent la conférence de presse, par exemple, les décideurs changent d'attitude et ne veuillent plus annoncer tout ce qui était prévu. Or, le communiqué, dûment approuvé, a déjà été expédié.

Il ne reste plus alors qu'à émettre un rectificatif, ce qui est toujours ennuyeux. Le journaliste essaiera toujours de comprendre pourquoi l'information première qu'il a reçue est inexacte. L'exemple 30 illustre ce qui arrive lorsqu'on veut retirer un communiqué déjà en circulation.

Si le communiqué a été expédié par une agence, il est alors possible dans certaines circonstances d'en arrêter la diffusion. Nous expliquerons plus loin comment fonctionne les agences de diffusion. Mais déjà, il faut savoir que celles-ci, qui rediffusent presque instantanément les communiqués reçus, ont besoin dans certaines périodes très actives de délais plus longs. On peut alors espérer que le communiqué n'a pas encore été transmis.

Exemple 28

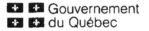 Gouvernement
du Québec

Le Vice-Premier ministre
et ministre d'État de l'Économie
et des Finances

COMMUNIQUÉ DE PRESSE

Pour diffusion immédiate

CNW - Code 01

ERRATUM

**BERNARD LANDRY ANNONCE LE LANCEMENT DES CENTRES
DE DÉVELOPPEMENT DES TECHNOLOGIES DE L'INFORMATION
ET D'IMPORTANTES AMÉLIORATIONS AUX INCITATIFS FISCAUX
EN FAVEUR DE L'INDUSTRIE DU MULTIMÉDIA**

Québec, le 22 mai 1997 — Hier, le Vice-Premier ministre et ministre d'État de l'Économie et des Finances, monsieur Bernard Landry, indiquait, par voie de communiqué, la liste des personnes qu'il recommandera au gouvernement à titre de membres du comité aviseur du Bureau des centres de développement des technologies de l'information. Veuillez prendre note que la liste des personnes présentée dans la version française de ce communiqué est incomplète. Le nom de monsieur Pierre Lampron, Président de la Société de développement des entreprises culturelles (SODEC) doit y être ajouté.

- 30 -

Source :　XXX
Attachée de presse
Ministère des Finances
Tél. : (418) 643-5270

12, rue Saint-Louis
1er étage
Québec (Québec)
G1R 5L3

Téléphone　: (418) 643-5270
Télécopieur : (418) 643-6626

Place Mercantile
770, rue Sherbrooke Ouest
7e étage
Montréal (Québec)
H3A 1G1

Téléphone　: (514) 982-2910
Télécopieur : (514) 873-6049

Exemple 29

Communiqués

Gouvernement du Québec

A l'attention du directeur de l'Information:

/CORRECTION -- MINISTERE DE LA CULTURE ET DES COMMUNICATIONS/

Dans le communiqué c5048 diffusé aujourd'hui à 11:26, une erreur s'est glissée dans l'heure du spectacle. La copie corrigée est la suivante :

MINISTERE DE LA CULTURE ET DES COMMUNICATIONS - INVITATION AUX MEDIAS

QUEBEC, le 26 nov. /CNW/ -
Vous êtes invité à la cérémonie de remise des

PRIX DU QUEBEC 1996
dans le cadre d'un gala télédiffusé et animé par

M. JEAN-PIERRE FERLAND

A cette occasion, neuf prix seront décernés à des artistes et à des scientifiques en reconnaissance de leur carrière remarquable

par la ministre de la Culture et des Communications et ministre responsable de l'application de la Charte de la langue française
MME LOUISE BEAUDOIN
et
par la ministre déléguée à l'industrie et au Commerce,
MME RITA DIONNE-MARSOLAIS

le samedi 7 décembre 1996 à 20 h 30
au théâtre Capitole
972, rue Saint-Jean à Québec

La cérémonie étant télédiffusée par Télé-Québec, les portes de la salle seront fermées 15 minutes avant le début de l'émission.

S.V.P., veuillez confirmer votre présence avant le jeudi 5 décembre prochain en communiquant avec :

XXX   (514) 873-4868 (pour les médias de Montréal)
XXX   (418) 643-8929 (pour les médias de Québec)

-30-

Pour afficher d'autres communiqués diffusés par cet organisme,
Cliquez ici

| Bienvenue | Aujourd'hui | C N W | Date | Mot cle | Ministère |

Donnez-nous votre message, nous vous donnerons le monde.

Exemple 30

LE SOLEIL   LE JEUDI 12 DÉCEMBRE 1996

LE QUÉBEC LE CANADA

Québec a failli annoncer la construction d'une usine de 100 millions $

Le communiqué concernant le projet d'éthanol-maïs a été distribué et repris

DONALD CHARETTE
Le Soleil

QUÉBEC — Le ministre des Finances Bernard Landry est venu à deux doigts hier d'annoncer à l'Assemblée nationale qu'il réduisait la taxe sur le carburant mélangé à l'éthanol provenant du maïs ce qui aurait entraîné la construction d'une usine de 100 millions $.

M. Landry a préparé une déclaration ministérielle qu'il a fait distribuer par le bureau du leader du gouvernement à l'opposition pour qu'elle puisse réagir. Tout cela se passait vers 9 h. Vingt minutes plus tard, un messager faisait le tour des bureaux pour reprendre le texte de cette déclaration ministérielle qui était reportée.

Le chef du Parti libéral Daniel Johnson s'est offusqué de cette procédure et réclamé la démission du ministre en faisant valoir que cette « fuite » pouvait favoriser des spéculateurs. « Cette déclaration ministérielle avait des impacts fiscaux réels et, aujourd'hui, des douzaines et peut-être des centaines de personnes seront au courant des intentions du gouvernement... qui touchent le maïs, l'essence verte, le prix des terres agricoles et une partie de l'industrie des carburants ».

Le ministre Landry a expliqué qu'il avait décidé de reporter cette annonce pour la « bonifier ». Il a soutenu qu'une seule copie de sa déclaration avait circulé et avait été remise à l'opposition. De plus, il a fait valoir qu'il

C'est le promoteur qui décidera de l'emplacement de l'usine

n'existe aucune capacité de production d'éthanol au Québec ce qui élimine tout risque de spéculation.

La déclaration ministérielle, obtenue par LE SOLEIL, spécifiait qu'à compter du 1er janvier 1999, la taxe sur les carburants applicable à un mélange composé d'essence et d'éthanol sera réduite. Cette réduction aurait atteint « 125 % de la taxe attribuable à la composante éthanol lorsque cette composante représentera 10 % du mélange ».

M. Landry ajoutait que « cette annonce est faite aujourd'hui étant donné les délais qu'occasionne la planification de travaux de construction d'une usine d'éthanol d'envergure. En effet les producteurs d'éthanol pourront faire dès maintenant les démarches nécessaires à la construction d'une usine au Québec en sachant qu'ils bénéficieront d'un cadre fiscal leur permettant d'être compétitifs ».

On donnait l'assurance hier au gouvernement que cette déclaration sera faite avant l'ajournement des Fêtes.

Le report de cette annonce a vivement déçu l'Union des producteurs agricoles (UPA) et sa Fédération des producteurs de cultures commerciales qui moussent ce projet depuis des années. « Les gens sont très déçus, nous étions à 20 minutes d'une annonce », de noter Sylvie Marier, porte-parole de l'UPA.

On se perdait en conjonctures hier sur les motifs de ce report. Selon certains informations la grogne est venue du caucus qui n'a pas été mis dans le

Bernard Landry

coup. Mais il est plus probable que le « bunker » ne souhaitait pas qu'on annonce une baisse de taxe au profit d'un groupe au moment où le premier ministre rencontrait les syndicats du secteur public pour leur demander des sacrifices.

L'éthanol est de plus en plus utilisé aux États-Unis et en Ontario et la majorité de cette usine appartiendrait à Doug Mackenzie un industriel ontarien.

C'est le promoteur qui décidera de l'emplacement de cette usine mais trois sites sont envisagés: Sainte-Geneviève de Berthier, la rive-sud de Montréal (Varennes) et il ne faut pas exclure l'est de Montréal.

Dans le cas des communiqués dits obligatoires, il est essentiel d'expédier un correctif aussitôt que l'entreprise se rend compte qu'une information erronée ou partielle a été diffusée. Morton et Loving (1994a, p. 136) ont recensé quelques causes juridiques où la responsabilité de l'entreprise a été limitée au laps de temps entre les deux communiqués.

Le communiqué radio et télévision

Les médias électroniques disposent de moins d'espace que les médias écrits pour diffuser des informations. Certaines entreprises ont pris l'habitude de rédiger deux types de communiqué : l'un à l'intention de la presse écrite et l'autre à l'intention de la presse électronique.

Ce dernier est beaucoup plus court, deux ou trois paragraphes au maximum, que le communiqué destiné à la presse écrite. En fait, il reprend le préambule et reformule les paragraphes pour ne conserver que l'essentiel de la nouvelle. On conseille aux petites entreprises, moins bien structurées sur le plan de l'expertise en communication, de concevoir leur communiqué destiné à la presse écrite de façon à ce que les deux ou trois premiers paragraphes puissent être retenus tels quels par les médias électroniques, ce qui évite de préparer deux communiqués. C'est d'ailleurs la tendance actuelle dans les entreprises de ne préparer qu'un seul communiqué.

Angel et Aulick (1976, p. 37) rappellent que la langue écrite et la langue parlée ne répondent pas toujours aux mêmes critères d'efficacité. Un communiqué très bien écrit peut paraître lourd lorsqu'il est lu à la radio ou à la télévision. Les auteurs proposent donc de lire à haute voix les communiqués destinés aux médias électroniques avant de les expédier pour s'assurer qu'ils ne comportent pas de difficulté ou de lourdeur de diction.

Le communiqué vidéo

Une pratique s'est développée au cours des dernières années de produire des communiqués vidéo pour la télévision (Horne, 1986). Il s'agit, en somme, de nouvelles réalisées pour la télévision, avec images et son, qui sont destinées aux bulletins d'informations. Quelques entreprises et quelques partis politiques au Canada et aux États-Unis ont développé avec succès ce type de communiqué qui peut être repris par plusieurs stations de télévision. En principe, il est construit comme tout communiqué écrit destiné aux médias électroniques. En pratique, il doit répondre aux exigences de la télévision qui donne préséance à la qualité de l'image sur l'écrit. Donc, le communiqué vidéo doit traduire une situation qui s'illustre par l'image. Il ne doit pas ressembler à un commercial, mais plutôt à une scène d'intérêt public.

Habituellement, les grandes chaînes de télévision n'utilisent pas ces vidéocassettes, quoiqu'il puisse y avoir des exceptions. En 1976, le premier ministre Robert Bourassa avait annoncé les élections générales au Québec en envoyant aux médias une vidéocassette qui fut reprise par la majorité des chaînes de télévision, Radio-Canada faisant exception. Aux États-Unis, les télévisions rattachées aux grands réseaux n'hésitent plus à utiliser ces communiqués, s'ils sont bien faits (Orr, 1994).

Ce sont donc surtout les chaînes régionales qui les utilisent. Il faut donc savoir rendre l'information accessible à ces différents milieux et présenter la nouvelle de façon intéressante pour les régions éloignées. L'entreprise doit soigner le message de façon particulière si elle ne veut pas voir ses efforts – coûteux – réduits à néant par la non-utilisation du matériel proposé.

Il y a deux sortes de communiqué vidéo : le communiqué prêt à être diffusé, ce que les Américains appellent le A-roll ; et le communiqué constitué d'éléments visuels non montés, le B-roll. Ce dernier permet plus facilement à la station de télévision de l'adapter à tous ses besoins, mais elle l'oblige à faire un montage.

Green et Shapiro (1987, pp. 10-11) proposent un certain nombre de règles pour réaliser un communiqué vidéo. En voici les principales :

- Savoir utiliser et faire parler l'image. Un communiqué vidéo ne peut se réduire à la lecture du communiqué écrit par une personnalité de l'entreprise ni à montrer des images avec une voix hors champ qui lit un texte. Il faut donc demander à des spécialistes de produire ces messages.

- Limiter le message vidéo à moins de 90 secondes. C'est le maximum de temps que va accorder un bulletin de nouvelles à une information.

— Faire le montage de façon à ce que la voix du narrateur puisse être changée par celle d'un annonceur maison, si une station désire s'approprier ainsi le message. On utilise des bandes de son différentes pour ce faire.

— Ne pas faire intervenir le reporter-narrateur dans l'image. Il est une figure inconnue des spectateurs d'une station. Dans certaines circonstances, un narrateur maison de la station peut se substituer au narrateur de l'entreprise.

— Faire le montage de manière à ce que chaque station puisse le redisposer à sa façon, si nécessaire.

— Permettre à chaque station d'ajouter les sous-titres pour identifier les personnages, par exemple. Certaine station possède des caractères typographiques distinctifs qui identifient l'ensemble de la production de cette station.

— Utiliser, pour toutes les étapes de la fabrication de la vidéo, des équipes professionnelles.

— Pour rendre l'information plus crédible, ne pas hésiter à utiliser une tierce partie, qui paraîtra plus neutre qu'un représentant d'une entreprise pour parler d'un sujet donné. Le recours à des experts est toujours plus crédible.

Au-delà du communiqué vidéo, la technologie permet aujourd'hui de proposer aux médias une entrevue en direct, par satellite, avec une personnalité et sur un thème donné.

Aujourd'hui, les grandes entreprises n'hésitent pas à y avoir recours. Marlow (1994, p. 20) signale qu'un communiqué non monté (R-roll) de Pepsi a rejoint un auditoire de 182 millions de personnes; et un second, 95 millions.

Le communiqué Internet

De plus en plus d'entreprises possèdent un site web sur lequel elles peuvent diffuser leurs communiqués ou, encore, compiler les communiqués émis au cours des derniers mois ou de la dernière année. Ces sites sont facilement accessibles et constituent un recueil intéressant des diverses prises de position des différentes entreprises qui y ont recours.

Depuis le début des années 1990, toutefois, autour des grands débats qui animent la société circulent quelques communiqués de provenance douteuse, parfois attribués à des sources identifiées qui se défendent bien d'être à l'origine de ces informations. Ces renseignements sont de temps à autre repris par les médias sans aucune vérification de leur authenticité (exemple 31).

La multiplicité des communiqués

Cette énumération des différentes façons d'utiliser les communiqués ne veut pas dire, par ailleurs, qu'une entreprise peut émettre chaque jour un communiqué d'un genre différent et que de la sorte, elle aura plus de possibilité d'en voir l'un ou l'autre diffusé.

Certains patrons insistent pour que le communicateur expédie des communiqués sur tout et sur rien. Si une entreprise abuse de cette technique, les médias prendront l'habitude de les mettre systématiquement de côté et la source perdra toute crédibilité.

Il n'y a pas, en soi, de nombre normal de communiqués à expédier dans une semaine. Tout dépend du sujet traité. Durant les Jeux olympiques, une équipe nationale peut faire connaître aux journalistes de son pays, chaque jour, les succès de ses athlètes, les problèmes qu'ils traversent et les ambitions qu'ils caressent.

Lors d'une crise, une entreprise peut émettre des communiqués chaque jour pour expliquer le déroulement des activités et les conséquences de ce qui se passe. Ohl *et al.* (1995) ont illustré cette situation en faisant l'analyse d'une offre publique d'achat hostile d'une société d'informatique par une autre. Pendant la période de quelque neuf mois qu'a duré l'opération, 84 communiqués ont été émis par les deux parties et ils ont donné lieu à 221 articles recensés dans les cinq médias étudiés.

Ce n'est donc pas le nombre qui est en question, mais la pertinence des communiqués. De ce fait, il n'est pas incongru de faire deux ou trois communiqués différents à partir de la même nouvelle si chacun d'eux est expédié à des journalistes de différents horizons. Ainsi, pour le lancement d'une nouvelle voiture, un communiqué peut s'adresser au chroniqueur automobile et mettre en valeur les spécificités de la

Exemple 31

LE DEVOIR, 23 mai 1997, A4

Reportage sur le site bloquiste d'Internet

Le Bloc s'en prend à CTV

PAULE DES RIVIÈRES
LE DEVOIR

L e réseau CTV a refusé de présenter ses excuses au Bloc québécois pour avoir diffusé, mercredi soir, un reportage dans lequel il blâme cette formation politique pour ses moqueries, sur son site Internet, à l'endroit de Jean Chrétien, notamment associé à un clown.

Le Bloc québécois exigeait des excuses en début de journée, mais a laissé tomber hier soir, se contentant de constater que le réseau CTV, son chef de nouvelles Lloyd Robertson et son journaliste Mark Shneider avaient manqué de rigueur en profitant d'une imprécision dans le site du Bloc québécois. Car le fameux site que CTV associait au Bloc québécois, intitulé *Libâral*, de façon dérisoire, était en fait réalisé par le groupe humoristique les Bleu Poudre.

Mais le technicien du Bloc québécois avait fait un hyperlien (une liaison directe) avec le site des Bleu Poudre. Et CTV n'a pas pris la peine d'attribuer la paternité du site aux Bleu Poudre.

«Nous maintenons notre version des faits. Nous avons simplement dit que voici ce que nous avons trouvé sur le site du Bloc québécois», déclarait hier Rosemary Thompson, rédactrice en chef de la salle de nouvelles de CTV à Montréal.

Au Bloc, le porte-parole Alain Leclerc estime que le montage de CTV était *«particulièrement odieux»* et incluait une dénonciation d'un professeur d'éthique de l'Université de Colombie-Britannique. Il a été présenté au bulletin de 23h mercredi puis repris hier matin à l'émission *Canada AM*.

Le chef du Bloc québécois, Gilles Duceppe, a d'ailleurs annulé l'entrevue qu'il devait accorder ce matin à l'équipe de *Canada AM*.

Au bureau du Bloc, on précisait hier que les négociations pour cet entretien n'étaient pas terminées, et que M. Duceppe devant rentrer très tard d'Abitibi hier soir et tenir un rassemblement tard ce soir, il préférait se reposer un peu ce matin. Le porte-parole du Bloc ne cache pas cependant que le reportage de CTV a joué dans la décision de M. Duceppe de ne pas se présenter à l'émission.

Quant au site privé du Bloc dont le technicien de cette formation, Éric Aubry, a donné l'adresse à CTV, il était avant tout destiné aux comtés. L'adresse a été modifiée. Et l'hyperlien avec le site des Bleu Poudre n'existe plus de puis hier.

LE SOLEIL, 23 mai 1997, A7

Ça vole bas...

Le Bloc exige des excuses de l'équipe de la salle des nouvelles de CTV News, qui a présenté mercredi soir un reportage sur un site Internet « secret » attribué au BQ et dans lequel on se moque entre autres du chef libéral Jean Chrétien. «Ils n'ont jamais vérifié auprès de notre organisation si ce site Internet appartenait réellement au Bloc québécois», se plaint M. Alain Leclerc, directeur du Service de presse du Bloc. L'inforoute pose par ailleurs des maux de tête, au cours de cette élection. Voir en A8

voiture. Un autre communiqué peut être envoyé au chroniqueur économique relativement aux investissements économiques et techniques requis pour la construction de cette voiture. De multiples sujets peuvent donc intéresser divers journalistes dans une entreprise de presse.

Le même événement peut donner lieu à l'émission d'un ou de plusieurs communiqués : un communiqué synthèse de l'événement, complété par un ou deux communiqués qui reprennent plus en détail les points importants du premier. Par ailleurs, il ne faut jamais que les communiqués soient redondants, mais plutôt complémentaires. Le communiqué synthèse doit contenir tous les éléments importants. Il chapeaute en quelque sorte tous les sujets. Il est contre-indiqué de répartir la nouvelle dans trois ou quatre communiqués : comme un seul texte sera publié de toute façon, il n'est pas logique d'exiger du journaliste qu'il trouve la nouvelle que vous lui présentez dans plusieurs communiqués. En l'obligeant à faire ce travail, il consacrera moins d'énergie aux autres aspects de votre activité.

Pourquoi alors produire plusieurs communiqués ? C'est pour permettre aux médias qui veulent accorder plus d'importance à une nouvelle d'avoir toute l'information nécessaire sous la main pour occuper l'espace qu'ils ont décidé de lui accorder. Mais il faut toujours se rapeller que certains ne lui en accorderont que très peu. Ils doivent donc l'avoir en résumé sur le même communiqué.

Les communiqués additionnels peuvent reprendre en détail les points importants de la nouvelle initiale. Ils permettent ainsi de découper et d'analyser en profondeur chaque élément de la nouvelle.

Signalons à cet effet que certains auteurs favorisent l'envoi de plusieurs communiqués qui traitent de différents sujets plutôt que d'un seul qui comporte trop d'informations (Lafrance et Roberge, 1985, p. 41).

Même si cela semble logique, il ne faut pas oublier que dans les médias, l'espace est toujours limité. Et si vous n'êtes pas capable de résumer votre information en quelques paragraphes, le journaliste le fera à votre place, et à sa façon ou il rejettera votre documentation.

Par ailleurs, certains événements nécessitent l'expédition de plusieurs communiqués au fur et à mesure qu'approche le jour J. On annonce d'abord l'événement et ses grandes lignes. Quelques jours ou quelques semaines plus tard, on fait connaître la participation d'une vedette. Puis on dévoile une attraction spéciale. Ceci pour conserver l'intérêt pour la nouvelle dans les médias. Il ne faut donc pas confondre cette façon de faire avec celle d'émettre en même temps plusieurs communiqués qui diluent l'information. Il s'agit ici d'un suivi d'activité tout à fait admis dans les médias.

Cette pratique ne doit pas être utilisée abusivement. Certains communicateurs qui jugent de leur efficacité par le nombre de communiqués qu'ils expédient ont la manie d'en envoyer à tout propos. Ils noient donc la véritable nouvelle dans un flot de textes sans importance. Et les journalistes ont tôt fait de ne plus porter attention aux communiqués qui viennent de cette source.

Quelques professionnels des communications reprochent à leurs collègues de trop envahir les médias avec leurs communiqués. Rothenberg (1991), citant *The Bulldog Reporter*, bulletin spécialisé dans les relations publiques, reproche aux relationnistes de pratiquer un envahissement aveugle des médias avec leurs communiqués. Le bulletin signale que les grandes publications nationales peuvent recevoir jusqu'à 100 communiqués par jour et qu'il leur est impossible de les regarder tous. Il conseille plutôt aux relationnistes de mieux cibler leur média et leurs journalistes et d'envoyer moins de communiqués. Rothenberg rappelle cependant qu'après avoir consulté de grandes firmes de relations publiques, il constate que celles-ci préfèrent inonder un vaste champ de médias et de journalistes, car l'expérience a prouvé qu'on ne sait jamais lequel s'intéressera à l'objet du communiqué, ni à quel moment au cours des jours suivants, et parfois des semaines, il souhaitera y avoir recours. Il faut donc en conclure qu'un choix judicieux est préférable à une couverture tous azimuts, mais que plus le choix est étendu, meilleures sont les chances que le communiqué soit diffusé.

À cet effet, Marken (1994, p. 11) rappelle qu'il est difficile d'intéresser de la même façon des dizaines de médias écrits et électroniques aux personnalités diverses. Il suggère de ne pas hésiter à moduler le communiqué pour qu'il s'adapte à des médias différents, soit en changeant le préambule, soit en sélectionnant des informations adaptées à la clientèle cible. L'étude d'Abbott et Brassfield (1989, p. 856) avait déjà démontré l'intérêt des médias pour les communiqués adaptés à leur spécificité.

Ce point sur la multiplicité des communiqués démontre qu'il n'est pas facile de trouver un consensus chez tous ceux qui se penchent sur cette technique. Il y aura toujours des tendances opposées. Ce qu'il faut retenir, ce n'est pas la tendance, mais la logique qui la sous-tend : le communiqué est un outil extrêmement efficace pour diffuser une information ; il peut prendre des formes diverses selon les circonstances et les besoins de l'entreprise et il suscite des réactions variées dans les médias. Honaker (1978, 1981) cite de nombreux éditeurs dont certains considèrent les communiqués comme une véritable plaie et affirment ne pas prendre le temps de lire tous ceux qu'ils reçoivent ; d'autres précisent ne jamais les utiliser comme tels, mais plutôt comme des amorces de nouvelles ; enfin, quelques-uns reconnaissent utiliser de 5 à 10% de ceux qu'ils reçoivent chaque jour.

3. Le stade préparatoire

Dans la mise au point d'un communiqué, il convient de respecter l'ordre des étapes de production. La première est le stade préparatoire : celle de la cueillette de l'information. Une entreprise décide-t-elle de rédiger un communiqué parce qu'elle a en main une nouvelle importante ou parce qu'un de ses communicateurs essaie de savoir si, dans le flot des informations qui circulent, certaines sont de nature à attirer l'attention des médias ?

Une nouvelle existe par son contenu, par le contexte dans lequel elle est présentée, mais aussi par sa mise en valeur. La collecte de l'information au sein d'une entreprise requiert donc une certaine compétence. Savoir interpréter l'information qui circule, apprendre à différencier l'information principale des informations secondaires, être capable d'emballer le contenu pour qu'il soit attrayant pour les journalistes exigent un apprentissage certain.

L'objet du communiqué

En tout premier lieu, il importe de se pencher sur l'information principale qui doit être véhiculée par le document. En somme, la première question n'est pas de savoir comment rédiger le communiqué, mais bien de savoir s'il y a matière à nouvelle et si celle-ci mérite d'être diffusée. L'information doit être absolument inédite et fraîche afin de susciter le maximum d'intérêt.

Il importe donc, dans un premier temps, de bien cerner le sujet à traiter et de bien définir le message à passer. On doit alors évaluer la pertinence de rendre publique une information et le moment opportun de le faire.

Pour être en mesure de gérer correctement la communication dans une entreprise, le communicateur doit posséder une vue d'ensemble de ses différentes activités d'intérêt public. Car toute entreprise a de nombreuses occasions de faire parler d'elle ; au communicateur de les dénicher et de les exploiter.

Le communicateur doit donc :

— être au courant des différentes activités qui se déroulent à l'intérieur de son entreprise ;

— trouver parmi le personnel des personnes capables de répondre aux questions lors de la collecte des données ou des demandes des journalistes ;

— posséder la crédibilité nécessaire pour convaincre ses collègues et les autorités du bien-fondé de laisser circuler ou de retenir l'information ;

— savoir contenir l'ardeur de certains chefs de service convaincus que tout ce qu'ils font mérite l'attention des médias ;

— éviter de rédiger des communiqués qui flattent davantage l'*ego* du patron qu'ils n'apportent de véritables informations aux médias.

Les étapes de sa réalisation

Une fois la décision de produire un communiqué arrêtée, il ne faut pas oublier que sa préparation demande parfois de longues heures. Et lorsque le communiqué est prêt, d'autres délais s'ajoutent avant qu'il ne soit accepté par les différentes instances d'une entreprise.

En fait, le communiqué ne doit pas être le fruit du travail d'un individu, mais le reflet d'une décision d'entreprise. C'est pourquoi il est normal que le communiqué soit corrigé par l'unité administrative concernée, revu par ses supérieurs hiérarchiques et, enfin, approuvé par les autorités supérieures. Nous avons dit plus haut que le communiqué est un texte émis officiellement par une entreprise. Celle-ci se doit donc de l'entériner. Nous vous présentons un exemple de la complexité de l'approbation d'un communiqué (exemple 32).

Dans une étude parue en 1984 sur les communications au gouvernement du Québec, le Conseil du Trésor estimait à quelques jours le temps consacré à la recherche, à la rédaction et à l'approbation d'un simple communiqué tant les étapes de vérification sont importantes. Dans les situations d'urgence, on peut par ailleurs préparer et émettre un communiqué dans l'espace d'une heure.

Avant d'entreprendre la rédaction d'un communiqué, on doit obligatoirement vérifier ses sources pour s'assurer que l'information transmise est exacte. Et après avoir rédigé le communiqué, on le soumet toujours à celui qui a fourni les données de base de façon à s'assurer qu'elles ont bien été interprétées.

Pour Angel et Aulick (1976, p. 29), les étapes à franchir pour construire le communiqué sont les suivantes :

— déterminer les résultats visés ;

— assembler les éléments d'information pertinents à la conclusion souhaitée ;

— sélectionner les points jugés les plus attrayants pour les médias ;

— éliminer toutes les données non pertinentes à l'objectif recherché.

Les auteurs proposent l'exemple suivant pour expliquer la première étape : dans une petite ville, un directeur d'école a l'intention d'organiser un défilé-collecte de fonds au profit de l'UNICEF, le jour de l'Halloween, avec les étudiants costumés.

Quels sont les résultats visés ? Ramasser des fonds ? Faire connaître le dynamisme de l'école ? Faire participer la collectivité à une cause sociale ? Créer un sentiment de cohésion dans l'école ? Malgré qu'il s'agisse du même événement, la façon de présenter le communiqué va différer selon les objectifs poursuivis.

Exemple 32

AUTOPSIE D'UNE CONFÉRENCE D'INFORMATION

JEUDI 14 DÉCEMBRE 1978

8 h 45 Le directeur des Communications convoque le chef de l'information et un agent d'information pour leur annoncer qu'ils doivent préparer une conférence d'information pour le lendemain matin à 9 h 15. Mme Lise Payette et M. Robert De Coster annonceront en effet à la presse qu'une entente vient d'être conclue entre l'Ontario et le Québec permettant aux résidents ontariens, victimes d'un accident d'automobile au Québec, d'être indemnisés de la même manière que les Québécois.

8 h 50 Le directeur des Communications élabore un plan d'action avec les deux responsables de la conférence. Un communiqué de presse sera diffusé reprenant les termes de l'entente. Le communiqué sera rédigé par l'agent d'information. Le chef de l'information rédigera pour sa part le projet d'allocution que prononceront conjointement le ministre et le président. Le directeur des Communications énumère les points essentiels sur lesquels le chef de l'information devra insister dans l'allocution et l'esprit dans lequel doivent être rédigés les textes.

9 h 15 Début de la rédaction. Il faut faire vite car plusieurs approbations sont nécessaires: approbation du chef de l'information (lorsque les textes ne sont pas de lui), du directeur des Communications, du service juridique, du président et du ministre.

10 h 15 Une première version du communiqué est terminée. Le chef de l'information la révise et apporte certaines nuances. La secrétaire du directeur, en disponibilité pour la journée, le retape. Comme la photocopieuse est en panne — c'est toujours dans des moments comme ceux-là qu'elle nous laisse tomber —, les photocopies doivent être faites sur un autre étage.

10 h 30 Le communiqué est soumis au directeur des Communications.

10 h 35 La salle de presse est réservée pour le lendemain matin de 9 h à 10 h.

10 h 45 L'attachée de presse du ministre envoie l'avis de convocation aux journalistes.

11 h La première version de l'allocution est terminée et est dactylographiée.

11 h 15 Le directeur des Communications retourne le communiqué. Deux nuances doivent y être apportées et un deuxième communiqué doit être rédigé, plus court que le premier et plus vulgarisé.

12 h Le deuxième communiqué est présenté au chef de l'information qui le retouche. Les textes des communiqués et de l'allocution sont photocopiés pour être remis au directeur des Communications qui les fera approuver par le président et le ministre au cours de la journée.

12 h 15 Les textes sont envoyés au cabinet du ministre par bélinographe. (Il s'agit d'un appareil qui transmet les textes par téléphone).

13 h L'attachée de presse de Mme Payette communique avec le directeur des Communications par téléphone et l'agent d'information se joint à leur conversation pour noter les modifications demandées par le ministre.

13 h 15 Les corrections sont effectuées et les textes redactylographiés et rephotocopiés.

14 h 15 Les textes sont soumis au service juridique qui suggère certaines modifications.

14 h 30 La secrétaire effectue les modifications et fait de nouvelles photocopies.

Comme le président est en réunion avec le Conseil d'administration de la Régie pour la journée, il ne pourra approuver les textes qu'à la fin de la réunion qu'il préside. M. De Coster reçoit chez lui en soirée Mme Payette et les membres du Conseil d'administration. Le directeur des Communications, qui est invité au cocktail, fera approuver les textes par le président et le ministre. Le directeur demande donc à une équipe d'être en état de disponibilité à partir de 18 h 30 et de lui téléphoner à cette heure chez M. De Coster.

Le chef de l'information, l'agent d'information, un technicien en information, un agent de bureau et une secrétaire seront donc en disponibilité pour la soirée.

15 h 30 On demande un technicien de la maison IBM pour assurer le bon fonctionnement de la photocopieuse en soirée.

18 h 30 Le chef de l'information téléphone au directeur des Communications qui lui demande de le rappeler à 20 h 30.

18 h 45 La documentation d'appoint est préparée et les pochettes de presse pliées.

20 h 30 Deuxième appel au directeur des Communications: M. De Coster et Mme Payette n'ont pas encore vu les textes.

21 h 30 Le directeur des Communications avise qu'il sera au bureau vers 22 h avec les dernières corrections, mineures semble-t-il.

22 h Quelques nuances sont apportées au texte de l'allocution.

22 h 15 Tous les textes sont retapés dans leur forme définitive.

22 h 20 Pendant ce temps, le plan d'action est élaboré pour le lendemain et une mission bien précise est assignée à chacun.

23 h Tous les textes sont relus et envoyés à la photocopie.

23 h 45 Les documents sont insérés dans les pochettes.

4

Exemple 32 (suite)

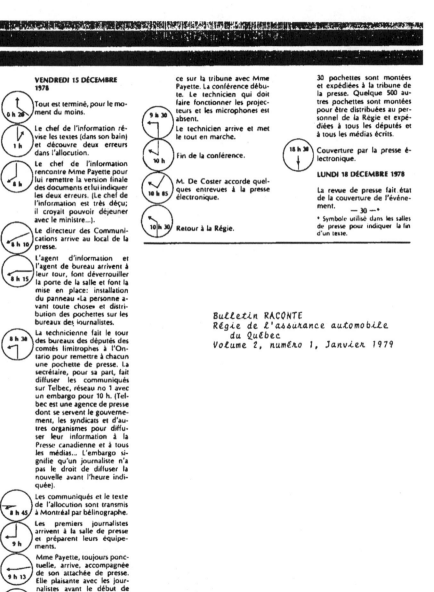

VENDREDI 15 DÉCEMBRE 1978

0 h 20 Tout est terminé, pour le moment du moins.

1 h Le chef de l'information révise les textes (dans son bain) et découvre deux erreurs dans l'allocution.

8 h Le chef de l'information rencontre Mme Payette pour lui remettre la version finale des documents et lui indiquer les deux erreurs. (Le chef de l'information est très déçu; il croyait pouvoir déjeuner avec le ministre...).

8 h 10 Le directeur des Communications arrive au local de la presse.

8 h 15 L'agent d'information et l'agent de bureau arrivent à leur tour, font déverrouiller la porte de la salle et font la mise en place: installation du panneau «La personne avant toute chose» et distribution des pochettes sur les bureaux des journalistes.

8 h 30 La technicienne fait le tour des bureaux des députés des comtés limitrophes à l'Ontario pour remettre à chacun une pochette de presse. La secrétaire, pour sa part, fait diffuser les communiqués sur Telbec, réseau no 1 avec un embargo pour 10 h. (Telbec est une agence de presse dont se servent le gouvernement, les syndicats et d'autres organismes pour diffuser leur information à la Presse canadienne et à tous les médias... L'embargo signifie qu'un journaliste n'a pas le droit de diffuser la nouvelle avant l'heure indiquée).

8 h 45 Les communiqués et le texte de l'allocution sont transmis à Montréal par bélinographe.

9 h Les premiers journalistes arrivent à la salle de presse et préparent leurs équipements.

9 h 13 Mme Payette, toujours ponctuelle, arrive, accompagnée de son attachée de presse. Elle plaisante avec les journalistes avant le début de la conférence.

9 h 17 M. De Coster arrive à son tour avec Me Roiter et prend pla-

ce sur la tribune avec Mme Payette. La conférence débute. Le technicien qui doit faire fonctionner les projecteurs et les microphones est absent.

9 h 30 Le technicien arrive et met le tout en marche.

10 h Fin de la conférence.

10 h 05 M. De Coster accorde quelques entrevues à la presse électronique.

10 h 30 Retour à la Régie.

30 pochettes sont montées et expédiées à la tribune de la presse. Quelque 500 autres pochettes sont montées pour être distribuées au personnel de la Régie et expédiées à tous les députés et à tous les médias écrits.

18 h 30 Couverture par la presse électronique.

LUNDI 18 DÉCEMBRE 1978

La revue de presse fait état de la couverture de l'événement.

— 30 —*

* Symbole utilisé dans les salles de presse pour indiquer la fin d'un texte.

Bulletin RACONTE
Régie de l'assurance automobile
du Québec
Volume 2, numéro 1, Janvier 1979

4. Le contenu du communiqué

Une fois l'objet du communiqué arrêté, on passe à sa rédaction. Le communiqué, on l'a dit précédemment, doit contenir des éléments susceptibles de créer une nouvelle et revêtir un intérêt pour le public.

En même temps, il doit répondre aux objectifs visés par l'entreprise qui l'émet. Il n'y a pas de communiqué neutre, chacun tente de livrer un message favorable à l'entreprise émettrice.

Ce qui est essentiel, c'est de bien identifier la nouvelle. Nous avons vu dans le chapitre précédent comment définir une nouvelle. Mais il faut aussi savoir la rattacher à un contexte d'actualité (Schneider, 1970).

Un contexte d'actualité

La valeur de l'information véhiculée par la nouvelle dépend grandement du contexte dans lequel elle sera exploitée par le rédacteur. Ce contexte d'actualité peut être social, économique ou politique. C'est là une bonne façon d'accentuer l'importance de l'événement aux yeux du journaliste et de créer un lien de référence pour le public.

Toute information peut devenir une nouvelle d'intérêt public si elle est exploitée dans un contexte approprié. Ainsi, s'il ne se passe rien dans une entreprise, il n'y a pas de nouvelle. Mais si, au cours des 365 derniers jours, dans cette même entreprise, il n'y a eu aucun accident, une telle information peut devenir une nouvelle. Et si cette nouvelle est diffusée pendant la semaine de la sécurité au travail, par exemple, les probabilités qu'elle soit retenue par les médias s'en trouvent décuplées.

Ainsi, de nombreuses informations peuvent revêtir un caractère de nouvelle si elles sont bien mises en valeur sur le plan médiatique, soit par le choix de la thématique, soit par les circonstances de sa diffusion.

Il y a donc certaines règles qu'il faut retenir : ou l'entreprise crée la nouvelle ou elle se sert de l'actualité pour activer certaines préoccupations. Ainsi, toute information de nature politique reçoit plus d'échos lorsque l'Assemblée nationale siège, puisqu'il est alors possible que les partis d'opposition la reprennent durant la période des questions et que de la sorte, l'objet de la nouvelle devienne un débat de société pendant les jours suivants.

Il est plus simple de s'inscrire en faux – c'est le principe de l'écart à la norme – contre des décisions et des politiques qui dérangent une entreprise que de prêcher la vertu, par exemple. Car une information est plus intéressante lorsqu'elle se greffe aux enjeux politiques et s'éloigne des difficultés que peut traverser une entreprise.

Il faut savoir profiter du passage d'un ministre dans une région donnée pour dénoncer certaines lacunes d'une réglementation. Et il est toujours possible de créer soi-même l'événement en profitant du 10e anniversaire de son entreprise pour diffuser des messages favorables à celle-ci.

Ainsi, tout peut devenir nouvelle si l'information est traitée de façon journalistique. Un chroniqueur judiciaire qui a passé une journée entière à la cour de justice et qui, le soir venu, ne sait pas quoi écrire, car il ne s'est rien passé d'intéressant, peut ne rien produire devant l'absence d'information pertinente ou faire une nouvelle comme celle-ci : « Il ne s'est rien passé à la Cour aujourd'hui », tout en rappelant que des causes attendent pourtant depuis deux ans avant d'être entendues, que des dizaines de juges ont siégé et que des dizaines d'avocats y sont venus pérorer. Le communicateur d'entreprise peut utiliser la même approche.

Pendant la crise d'Octobre de 1970 au Québec, pendant la crise des autochtones à Kanasetake en 1990, les médias électroniques interrompaient leurs émissions régulières pour annoncer qu'il n'y avait rien de nouveau dans l'affaire en cours.

Les études menées par Turk (1985, 1986) et par Walters et Walters (1993) ont noté qu'après l'intérêt de la nouvelle en soi, c'est le choix du moment opportun qui importe dans la sélection de la nouvelle.

Les tierces parties

Il est contre-indiqué d'engager des tierces parties ou des tierces personnes dans un communiqué sans avoir obtenu au préalable leur autorisation. Le principe à retenir est que chacun est capable de parler pour soi. Si une entreprise associe ou met en cause dans un communiqué un de ses partenaires, elle doit le prévenir et lui demander une autorisation expresse pour ce faire.

Ainsi, lorsqu'une personnalité extérieure à l'entreprise signifie, de façon personnelle, son accord avec une position que celle-ci défend, ceci n'autorise pas l'entreprise à utiliser son nom dans un communiqué, à moins qu'il y ait eu un accord formel à cet effet. Autrement, cette même personnalité peut toujours dire qu'on a abusé d'une conversation personnelle et qu'elle n'a jamais appuyé la cause en question. Ce genre de situation laisse croire que l'émetteur de l'information n'avait pas de véritables appuis et qu'il a été obligé de s'accrocher à quelques conversations officieuses. Ce qui laisse des traces d'une image négative (exemple 33).

Il en est différemment si la personnalité s'est prononcée publiquement. Alors, l'entreprise peut la citer avec la référence utile de la façon suivante : « Récemment, le ministre Untel a déclaré devant telle tribune qu'il était tout à fait d'accord... »

Il existe, par ailleurs, des communiqués conjoints signés par plusieurs entreprises à l'occasion d'une manifestation ou d'une prise de position concernant plusieurs d'entre elles. Dans ce cas, le communiqué doit être approuvé par chacune des entreprises en cause.

Les faits pertinents

Il s'agit de rassembler toutes les informations pertinentes et de choisir parmi celles-ci l'élément de nouvelle qui permettra la diffusion du communiqué.

Il arrive, par exemple, qu'une entreprise souhaite diffuser une nouvelle politique. C'est là une nouvelle en soi. Mais encore faut-il en extraire le caractère original. Et ce n'est pas toujours évident, car après avoir travaillé pendant plusieurs semaines sur un dossier, tout semble important ou banal.

Il est utile alors de dresser la liste des éléments les plus significatifs et de s'interroger sur celui qui aura le plus de chance d'être retenu par les médias. Ce n'est pas forcément ce qui est le plus important pour l'entreprise. Il faut pouvoir se mettre dans la tête du journaliste et réfléchir comme il le ferait.

La journaliste Lederman (1994) raconte qu'elle a reçu un jour un communiqué d'une organisation caritative qui annonçait que, désormais,

Exemple 33

Le 24 janvier 1996, A2

LE SOLEIL

LES RETOURNES

FRANCOPHOBE
Contradictions dans l'affaire somalienne

Suite de la Une

neault estime qu'il était la bête noire de Beno.

« Je suis maintenant convaincu qu'il avait l'intention de me congédier dès le début. »

Ces révélations ont envoyé de véritables ondes de choc dans la salle d'audience.

« Ce sont des allégations sérieuses », s'est exclamé le commissaire Peter Desbarats. Il lui a demandé s'il avait des preuves que Beno était francophobe.

« Je ne peux pas mettre le doigt dessus. C'est ce que je ressens dans mes tripes », a poursuivi Morneault, visiblement à bout de nerfs.

Interrogé par l'avocat représentant Beno, Morneault, un anglophone qui a appris le français dans les forces armées, n'a pu dire s'il pensait avoir été la victime d'un complot.

Selon lui, Beno et le commandant de la base le colonel Jim Cox avec qui il avait eu des accrochages, ont délibérément tenté de se débarrasser de lui dès son arrivée au régiment.

Lundi, Morneault a indiqué qu'il croyait avoir été congédié parce qu'il voulait pousser l'enquête sur les problèmes de discipline du régiment trop loin.

DISCIPLINE

Beno a déjà indiqué qu'il avait perdu confiance en Morneault parce que celui-ci n'avait pas réussi à régler les problèmes de discipline au sein du régiment.

Morneault a été commandant du Régiment aéroporté pendant quatre mois moins une journée. Il a été remplacé par le lieutenant colonel Carol Mathieu. Sous le commandement de Mathieu en Somalie, des soldats canadiens ont battu et torturé à mort le jeune Shidane Arone. Mathieu a été acquitté de négligence dans l'exercice de ses fonctions mais ce verdict est en appel.

Dans un autre ordre d'idées, d'autres contradictions ont refait surface hier dans l'affaire somalienne.

Vendredi, le ministère de la Défense nationale a émis un communiqué de presse pour dire que les allégations du major Vince Buonamici étaient sans fondement. Dans une déclaration sous serment déposée devant la commission, Buonamici a déclaré que trois généraux avaient tenté de bloquer son enquête en saisissant ses dossiers grâce à des mandats suspects.

Le communiqué de la Défense énonçait clairement que la GRC avait mené une enquête et qu'elle n'avait trouvé « aucune activité de nature criminelle chez les cadres supérieurs ». La Gendarmerie royale a contredit l'armée en disant que son enquête n'avait pas porté sur les agissements des généraux.

Hier, le contre-amiral John King a été obligé de rectifier le tir. Il a précisé que l'enquête de la GRC n'avait pas porté sur les généraux.

« Nous avons appris une leçon. Notre intention était d'informer », a-t-il souligné à la Presse canadienne.

Trois généraux ont démissionné cette semaine. Selon Buonamici, deux d'entre eux ont voulu s'immiscer dans son enquête sur l'affaire somalienne.

AUCUN REPROCHE

Interrogé à ce sujet, le ministre de la Défense David Collenette a indiqué hier que toutes ces contradictions ne méritaient pas une « enquête parallèle. »

Il a répété que la GRC avait mené une enquête au sujet des allégations d'entrave à la justice et qu'elle n'avait aucun reproche à faire aux généraux.

Pour sa part, le critique réformiste en matière de Défense Jim Hart a répété hier que M. Collenette devait démissionner à la lumière de ses déclarations trompeuses.

les dons pour un téléthon pourraient être envoyés par télécopie. Malheureusement, le numéro du télécopieur n'était pas inscrit sur le communiqué.

La vérité

Il est déconseillé d'essayer de camoufler la réalité dans des communiqués, car les journalistes retourneront l'information contre l'entreprise lorsqu'ils apprendront la vérité (exemple 34). Ainsi, en février 1987, un communiqué de Rendez-vous 87 expliquait que l'arrivée des Russes était retardée de 24 heures à cause des conditions atmosphériques. Les journalistes apprenaient par ailleurs que l'avion militaire qui transportait les Russes n'avait pas reçu l'autorisation d'atterrir à Paris et qu'il avait dû retourner à Moscou. Les journalistes se font un devoir de relever ces contrevérités qui, du reste, jettent du discrédit sur l'organisation émettrice.

Si ce ne sont pas les journalistes, ce sont les parties en cause qui rectifient l'information.

5. La construction du communiqué

Quel que soit le contenu du message, la présentation et la forme d'un communiqué doivent répondre à certaines règles et le texte doit avoir la facture la plus professionnelle possible.

Contrairement à la composition classique d'un texte qui commence par une introduction, suivie d'un développement puis d'une conclusion habituellement inattendue, le communiqué, quant à lui, commence par la conclusion où est annoncée d'emblée la révélation surprise.

Le communiqué de presse doit d'abord observer trois «niveaux de lecture» : le titre, les intertitres et finalement le texte (Schneider, 1970).

Voyons donc les différents éléments qui entrent dans la construction d'un communiqué.

Le titre

Même si son choix peut paraître simple et secondaire, il n'en demeure pas moins que le titre s'avère l'un des plus importants critères

Le communiqué

Exemple 34

Québec, Le Soleil, vendredi 6 février 1987

Retour forcé vers Moscou

Le Choeur de l'Armée rouge

n'a pu atterrir

◆ C'est avec un retard de 24 heures que les participants soviétiques à Rendez-Vous 87 arriveront finalement à Québec. L'un des deux

Textes de Roger BELLEFEUILLE

avions militaires à destination de Paris, depuis Moscou, n'a pas eu l'autorisation, hier, de se poser à Charles de Gaulle.

Les autorités de l'aérogare internationale ont opposé ce "niet" en raison de l'identification militaire de l'appareil. Il a dû retourné dans la capitale soviétique.

Selon un communiqué émis de Montréal par les productions Donald K. Donald, un deuxième vol, toujours en partance de Moscou, de l'Armée de l'air de l'URSS, plus chanceux, a pu se poser à destination, soit à Heathtrow, à Londres. Non, sans peine et après bien des négociations.

Les deux aéronefs avaient à leur bord le choeur et les danseurs de l'Armée rouge, l'ancien gardien Vladislav Tretiak, la médaillée d'or des Jeux olympiques de Montréal,

Nelli Kim et les danseurs du Bolshoi Nina Sorokina et Yuri Vlamadinov.

Un communiqué de fin d'après-midi, hier, de Rendez-Vous 87 expliquait ce contretemps par "des mauvaises conditions atmosphériques...".

L'avion qui a dû retourner à Moscou doit se rendre aujourd'hui à

Londres. Cette délégation soviétique prendra alors un vol d'Air Canada attendu à Mirabel à 15h50, pour faire le reste du voyage en autobus jusqu'à Québec. Toute cette visite est attendue dans la Vielle Capitale en soirée.

Une arrivée qui était prévue pour hier soir.

Avec la conséquence, entre autres, que les membres du Choeur de l'Armée rouge et les deux danseurs ne seront pas au rendez-vous cet après-midi à trois heures. Une conférence de presse est en effet convoquée pour présenter les vedettes qui doivent participer au spectacle d'ouverture, dimanche, à la salle Albert-Rousseau. Celle-ci se tiendra telle que convenue selon une porte-parole de l'agence Abracadabra. ◉

de sélection, pour ne pas dire le plus important, lorsque vient le temps pour le journaliste de choisir entre plusieurs documents.

En effet, le titre demeure le premier élément du communiqué que consulte le journaliste. Si le sujet semble intéressant, si le titre accroche, le journaliste aura davantage envie de continuer la lecture du communiqué. Au contraire, si le titre ne l'inspire pas, il aura moins d'empressement à lire le texte jusqu'au bout, d'autant plus qu'il a à sa portée d'autres communiqués dont les titres fournissent des informations plus intéressantes.

Pour retenir l'attention, le titre doit donc être accrocheur, c'est-à-dire susciter la curiosité du lecteur, attirer son attention. De plus, sans être trop long ou trop compliqué, il doit résumer efficacement l'idée globale véhiculée par le texte ; d'ailleurs, si le titre choisi s'avère judicieux et pertinent, le journaliste aura tendance à s'en inspirer. Toutefois, par mesure de précaution, comme il risque d'être changé, il convient d'en répéter la teneur dans le corps du texte afin que l'idée globale qu'il contient puisse imprégner à coup sûr le lecteur. Ainsi, l'idée qu'il véhicule ne sera pas perdue.

Le titre doit bien résumer l'information. Certains choisissent de le devancer par une phrase en exergue (exemple 35). C'est le **surtitre**. Il permet de préciser l'information du titre.

Ou, encore, d'autres le complètent par un **sous-titre**, c'est-à-dire par un deuxième titre explicatif, placé sous le titre et habituellement dans un autre caractère pour le démarquer. Cette façon de faire emprunte le style journalistique, comme en témoigne l'exemple 36.

Il faut savoir que dans la majorité des cas, le média changera le titre, et ce, pour plusieurs raisons : d'une part, les médias électroniques n'utilisent pas de titre dans leur présentation de la nouvelle ; d'autre part, les médias écrits voudront s'assurer de ne pas reproduire le même titre que tous les autres médias qui publieront la nouvelle ; par ailleurs, selon que l'article paraîtra sur une, deux ou trois colonnes, il faudra un titre qui rentre bien dans l'espace alloué ; enfin, le titre suggéré peut être jugé inadéquat par la rédaction.

Dans le titre, l'accent doit être mis sur la nouveauté : les actions, les décisions, les tenants et les aboutissants.

Exemple 35

LA STRUCTURE TECHNIQUE D'UN COMMUNIQUÉ

LE SIGLE DE L'ENTREPRISE
(En-tête officiel)

> Pour diffusion immédiate
> (Embargo)
> Telbec ou CNW + code

COMMUNIQUÉ

L'exergue est une petite phrase de référence

LE TITRE TRADUIT L'IDÉE PRINCIPALE DU TEXTE ET SE
CONSTRUIT AVEC UN SUJET, UN VERBE ET UN COMPLÉMENT

Lieu et date d'émission. Suivi du préambule.

L'intertitre

Le texte doit se
construire selon
le principe de
la pyramide
inversée

Les paragraphes doivent se suivre par ordre d'importance décroisssant de sorte que
le chef de pupitre puisse retrancher autant de paragraphes qu'il le souhaite à partir
de la fin sans perdre le sens du communiqué.

- 30 -

La source

L'adresse postale, les numéros de téléphone et du télécopieur et l'adresse du
courrier électronique de l'entreprise.

Exemple 36   LE DEVOIR, 31 mai et 1ᵉʳ juin 1997, D1

**E S S A I S
É T R A N G E R S** ———— Exergue

Les médias: système ou —— Titre
chaos?

**Pierre Bourdieu mène une char-
ge contre tous les intellectuels
parisiens qui ont le malheur de ———— Chapeau
se montrer à la télé dans un
pamphlet dont la première mou-
ture fut lue à la télévision!**

ANTOINE ROBITAILLE

Un des côtés les plus détestables du marxisme était sans aucun doute son aspect déterministe. Dans ce schéma, les idées naissent absolument d'un contexte. Le contexte marxiste, c'était le rapport matériel de production. La façon de produire, la propriété des moyens déterminaient l'histoire, les rapports sociaux et la culture des classes. La technique, dans ce schéma, était des plus centrales.

McLuhan a mis l'accent sur un autre aspect de la technique : les modes de communications et l'impact qu'ils ont sur le message. Le schéma mcluhanien est tout aussi déterministe que celui de Marx.

C'était avant la «fin» des idéologies. Avant que la pensée sociale n'intègre tranquillement les découvertes scientifiques du début du siècle, comme celle de la théorie des quanta et le principe d'incertitude. On pourrait parler d'une revanche tardive du David de la liberté humaine face aux Goliaths des forces sociales, techniques et historiques.

Marx et McLuhan. Leurs héritiers ont été obligés, depuis la fin des années 70, d'intégrer des éléments de critique des déterminismes. On le voit chez Pierre Bourdieu, héritier de Marx. Mais surtout chez Régis Debray, héritier de McLuhan.

Le poing sur les médias ———— Intertitre

Sur la télévision, du sociologue Bourdieu, est une charge contre le monde des médias et sa reine, la télévision. Un *«poing sur les médias»* où

Le titre peut s'écrire sur deux lignes. Il est d'usage de l'écrire en lettres majuscules. On le compose comme une phrase complète avec un sujet, un verbe et un complément. Il ne s'agit pas ici d'un slogan. Il suffit de regarder les titres des médias écrits pour se rendre compte, en effet, qu'ils sont habituellement rédigés comme une phrase complète, quoique ceci ne soit pas un absolu. Il arrive que des titres soient présentés sans verbe, en particulier ceux sur une colonne. C'est le cas de l'exemple 23, qui annonce une nomination, où l'information est présentée sans verbe sur une colonne.

Il est utile de rappeler qu'il est tout à fait contraire aux normes de ne pas mettre de titre, faute que commettent régulièrement les jeunes communicateurs, surtout lorsqu'ils envoient plus d'un communiqué.

Le titre doit être très explicite. Il doit en peu de mots, dix à quinze au maximum, traduire l'essentiel de la nouvelle. Ainsi, apprendre par un titre que «Le gouvernement lance une nouvelle politique pour les consommateurs» ne renseigne d'aucune façon sur la politique. Par contre, un titre qui précise que «Les garanties sur les voitures sont augmentées à trois ans» est très explicite. Il s'agit pourtant de la même nouvelle.

La rédaction d'un titre peut se faire en deux temps. Il est utile d'essayer de formuler un titre provisoire en commençant la rédaction du communiqué. Ceci oblige le rédacteur à définir au départ ce que sera le sens de sa nouvelle.

Mais il est parfois plus facile de formuler le titre définitif à la fin de la rédaction du communiqué, car l'effort de synthèse a été fait et les idées importantes se dégagent mieux.

Le chapeau

Le chapeau est un texte placé à la suite du titre qui surmonte un autre texte pour le présenter au lecteur. On le retrouve plutôt rarement dans les communiqués, mais il arrive que les journalistes coiffent leur texte d'un paragraphe d'introduction qui permet de contextualiser la nouvelle.

Le préambule

Le préambule, qu'en anglais on appelle LEAD et qui est parfois traduit par le paragraphe d'attaque ou l'amorce, est le premier paragraphe du texte. Cette phrase d'attaque est la plus importante du communiqué, car elle contient tous les éléments essentiels du message. C'est la partie vitale du communiqué. Le préambule est, en fait, le synopsis et le résumé de la nouvelle. C'est lui qui captera l'intérêt des journalistes et l'attention du public.

Il doit être assez clair pour que le chef de pupitre ou le responsable de la salle des nouvelles n'ait pas à lire tout le communiqué pour en connaître la nature (Laliberté, 1982, p. 111). D'ailleurs, les journalistes admettent qu'ils se font une idée du contenu d'un communiqué en ne lisant que le premier paragraphe (Di Costanzo, 1986, p. 22).

L'information principale est mise en valeur de façon absolue au tout début du texte. C'est ce qu'on appelle l'autonomie de l'information principale, c'est-à-dire qu'elle doit pouvoir être saisie rapidement et en entier. Pour cette raison, on lui réservera le début du communiqué de sorte que si le lecteur ne se donne pas la peine de lire l'article en entier, il aura tout de même reçu l'information essentielle, celle-là même qui justifie la diffusion du communiqué ; à moins que piqué par la curiosité, il décide de continuer plus loin sa lecture.

En principe, le préambule répond à ce qu'il est convenu d'appeler les cinq W : *Who, What, When, Why, Where* auxquels on ajoute le *How*, c'est-à-dire qui, quoi, quand, pourquoi, où et comment. Cependant, il n'est pas toujours nécessaire d'introduire tous ces éléments, car la phrase risquerait d'être longue et encombrée. Ce que l'on inclut dans le préambule dépend des besoins spécifiques de la nouvelle sans la noyer avec des détails superflus. Il importe d'éviter de tomber dans le piège suivant : le préambule qui dit tout ou celui qui ne dit rien.

À titre d'exemple, on pourrait avoir un préambule ainsi rédigé : «Monsieur X, président de la compagnie Y, a annoncé hier l'ouverture de son commerce tous les soirs de la semaine.» Ici, le comment et le pourquoi ne sont pas nécessaires dans le préambule. On les précisera dans le corps du texte.

Le préambule ne doit pas avoir beaucoup plus que 50 mots, soit au maximum 5 ou 6 lignes de texte. Sinon, il est trop long.

Pour rédiger le préambule, il faut faire la liste de tous les éléments de la nouvelle et choisir celui ou ceux qui normalement devraient être retenus par les journalistes comme les plus importants.

Autant que possible, il est utile que le nom du produit, du service ou de la cause et de celui de l'entreprise qui les supporte soient inscrits dans le préambule.

Lorsque la situation s'y prête, on peut citer, en tout début de texte, les propos de l'interlocuteur principal, s'ils résument bien l'objet du communiqué. Un communiqué pourrait ainsi se présenter :

Montréal, 30 mars, 1999 : «Pas de liberté, pour les ennemis de la liberté.» C'est de cette façon que le ministre de la Justice, M. X, a répondu aux derniers gestes posés par le groupe Y, hier, à l'Assemblée nationale.

Le corps du texte

Tout de suite après le préambule viennent se greffer les informations secondaires dont l'objectif consiste à préciser l'information principale et à définir plus en profondeur chacun des 5 W. On énonce alors les conséquences, les applications, les répercussions de la nouvelle. Il s'agit, en fait, d'un complément d'information pour ceux qui désirent en savoir davantage (Sainderichin, 1970, p. 97). Contrairement à l'information principale, les informations secondaires n'ont pas besoin d'être inédites. Toutefois, elles ne devraient pas être désuètes ou dépourvues d'intérêt.

Les paragraphes qui suivent le préambule sont courts et se succèdent par ordre d'importance, à raison d'une idée par paragraphe : cela constitue le corps du communiqué. Le souci de cette hiérarchisation de l'information est primordial : elle facilite la compréhension du message (Sainderichin, 1970, p. 92) et si pour la mise en pages ou en ondes le communiqué est trop long, le journaliste supprimera d'abord les paragraphes un à un, à partir de la fin, pour qu'il n'ait pas à réécrire la nouvelle (Lecoq, 1970, p. 74).

Tout communiqué doit être en quelque sorte un texte à tiroirs. Il doit être constitué d'un certain nombre de paragraphes, brefs si possible et bien détachés avec des alinéas (Sainderichin, 1970, p.p. 97-98). Ainsi, le premier paragraphe qui suit le préambule devrait être une mise en situation qui facilite la compréhension de la nouvelle.

Et si un média, par manque d'espace, décide de ne retenir que les deux premiers paragraphes, il faut que l'information qui s'y trouve résume bien la nouvelle et soit parfaitement compréhensible. En somme, les deux premiers paragraphes forment un tout, les trois premiers aussi et ainsi de suite. C'est ce qu'on appelle LA PYRAMIDE RENVERSÉE, c'est-à-dire que le communiqué repose dans sa structure sur une base peu solide ou moins importante.

La pyramide renversée consiste à prendre les éléments du texte et à les mettre en ordre décroissant, passant du plus important au moins important. Dans cette forme, les éléments les plus importants se retrouvent dans la partie supérieure de la pyramide et les moins importants, dans la partie inférieure. Cette structure permet au récepteur de l'information de saisir rapidement le sens de la nouvelle.

Carl Hamilton (1975, p. 38) visualise ainsi la structure de cette pyramide :

S U M M A RY L E A D
elaboration of lead
details become
less and less
important
as story
unfolds

Les faits ne sont pas rapportés par ordre chronologique, mais plutôt par ordre d'importance dans l'optique d'une nouvelle.

Lovell (1982, p. 175) suggère, pour faciliter les liens entre les paragraphes, de se raccrocher à un mot ou à une idée du paragraphe précédent pour enchaîner le texte.

Les intertitres

Une fois le titre choisi, il faut porter une attention particulière aux intertitres et se rappeler qu'ils seront les premiers consultés après le titre et le préambule.

L'intertitre est un titre secondaire que l'on met dans le cœur du texte. Un communiqué peut donc être entrecoupé de deux ou trois intertitres, toujours très courts, soit de deux ou trois mots, car ils doivent entrer sur une largeur de colonne dans les médias écrits. Ils rendent le texte plus facile à lire en l'aérant et permettent au journaliste d'en comprendre rapidement la teneur.

Les intertitres présentent essentiellement les points majeurs du message véhiculé. Ils dressent en quelque sorte le portrait des lignes directrices du texte. Le journaliste et le lecteur les parcourront afin de sonder l'intérêt du texte. Si l'impression qui s'en dégage s'avère positive, ils auront envie de lire l'article au complet.

Les intertitres sont écrits en caractères gras ou soulignés.

6. Les questions à formuler

Nous avons vu que pour transformer un élément d'information en nouvelle, il suffit de répondre succinctement à un certain nombre de questions. La documentation anglo-saxonne parle des 5 W, soit *Who, What, Where, When* et *Why* (Angel et Aulick, 1976, p. 17), soit Qui? Quoi? Où? Quand? Pourquoi? Ross (1990, p. 53) rappelle qu'en fait, « elles sont six, comme les mousquetaires étaient quatre » et la sixième, c'est le *How*, le comment. Elle ajoute que Quintilien en a formulé sept il y a vingt siècles : *quis, quid, ubi, cur, quomodo, quando, quibus auxiliis* (avec qui).

Nous allons traiter séparément les sept questions. Ces éléments ne se présentent pas dans un ordre arrêté et ne sont pas tous nécessaires pour présenter une nouvelle. En fait, c'est l'importance de chacun d'eux dans la définition de la nouvelle qui justifie leur présence et leur ordre de succession.

Disons quelques mots sur chacun de ces éléments.

Qui?

Le qui réfère à la personne ou au groupe qui fait l'objet du communiqué. Quelle est l'entreprise concernée et quel individu la représente? En campant au début l'acteur principal du texte, en le situant sur l'échiquier des activités humaines, on permet au récepteur du message de saisir le contexte de l'action. S'agit-il d'une personnalité connue?

Autant les journalistes que les récepteurs de nouvelles sont sensibles aux noms connus. L'entreprise relève-t-elle du secteur politique, économique, culturel, social, sportif? Avec ces informations de base, il est très facile de prendre connaissance de l'univers de référence de l'objet du communiqué.

Si le nom de l'entreprise n'est pas connu et ne traduit pas bien le secteur d'activité dans lequel elle opère, il faut alors préciser cet univers de la façon suivante: l'entreprise X, spécialiste de tel secteur...

Compte tenu que la plupart des gens opposent aux informations qu'ils reçoivent une perception sélective qui leur permet de choisir, inconsciemment, celles qui les intéressent, alors en situant d'emblée le cadre de l'action au début du texte, on facilite la perception du message auprès de ceux à qui il est destiné.

Quoi?

Quel est l'événement? Est-ce important? Est-ce que cela se produit pour la première fois? Ce sont des questions auxquelles l'émetteur doit apporter des réponses et qui démontrent la valeur de l'information comme nouvelle.

Le quoi décrit la nature de l'action (un accident, un crime, une inauguration, un démenti, etc.). Qu'a fait le qui ou que planifie-t-il de faire? C'est ici que se définit la nouvelle avec tout ce qu'elle comporte d'élément inhabituel et inusité. L'image généralement utilisée pour illustrer ceci consiste à dire que si un chien mord un homme, ce n'est pas une nouvelle. Mais si un homme mord un chien, là, c'est une vraie nouvelle!

Où?

Habituellement, on met au tout début du communiqué le nom de la ville d'où il est émis, comme nous le verrons plus loin. Ici, le où ne désigne par la ville, mais plutôt le lieu où se déroule l'action. Cet endroit peut avoir une signification anodine, éclairante ou symbolique. Elle est anodine lorsqu'elle n'a aucune connotation avec l'objet du communiqué. Ainsi, une déclaration à l'Assemblée nationale d'un ministre de l'Agriculture ne traduit que le lieu de travail d'un tel ministre. Elle est éclairante lorsque le ministre de l'Agriculture choisit la Foire agricole annuelle pour faire connaître une décision. Elle est symbolique lorsque la déclaration ministérielle se déroule au milieu d'un champ dévasté par une catastrophe.

Ce qui signifie que l'émetteur va choisir l'endroit d'où le communiqué sera émis en fonction de l'impact qu'il recherchera. Mais en même temps, cet endroit permettra aux médias d'information de juger du rayonnement de la nouvelle.

Quand il s'agit d'une ville, le nom de celle-ci peut suffire. Mais dans certaines circonstances, il est utile de mentionner le quartier dans lequel l'action se déroule. La revendication d'un groupe de contestation dans un milieu huppé n'a pas la même signification que si elle se produit dans un milieu défavorisé.

Le où n'est jamais une qualification du qui. Ainsi, si l'on parle du premier ministre de Grande-Bretagne, le nom du pays ne correspond pas au où de notre interrogation, mais il est un complément d'information essentiel sur le qui. Par ailleurs, si l'on écrit que «Lors de sa visite aux États-Unis (où), le premier ministre de Grande-Bretagne (qui) a déclaré que le libre-échange est la voie de l'avenir» (quoi), on comprend mieux le sens du où.

Le où peut également signifier le lieu où se déroulera un événement à venir : la construction d'une usine est annoncée dans une ville, mais elle peut se réaliser dans une autre. Le nom de la première ville apparaît au début du texte. Le nom de la seconde constitue le où.

Quand?

Le quand fixe le moment de l'objet du communiqué. S'agit-il d'une action immédiate à réaliser, d'un projet à moyen ou à long terme? Nous avons précisé plus haut qu'il était parfois nécessaire de se greffer à l'actualité pour donner au communiqué une valeur d'exploitation immédiate et sûre.

Le quand, c'est autant les circonstances qui entourent l'action que le moment même de l'action. S'il s'agit d'un projet, il faut spécifier à quelle date il se réalisera, mais aussi le contexte qui l'accompagne, comme la construction d'un immeuble dans un nouveau développement. S'il s'agit d'un spectacle, la date, certes, est essentielle, mais se déroule-t-il dans un cadre spécial, comme un festival, par exemple?

Le quand permet au récepteur de situer la nouvelle dans le temps. Dans certaines circonstances, il faut donner la date et l'heure du déroulement d'un projet. L'éclipse de la lune, le lancement d'une fusée, le début d'un spectacle se font à une heure précise.

La journaliste Lederman (1994) raconte qu'elle reçoit des communiqués par télécopieur où la date apparaît sur la page de garde et non sur le communiqué. Et comme elle a la mauvaise habitude de jeter la page de garde, elle n'a plus la date de l'événement. Elle rappelle également que si «mardi prochain» est une date précise pour le communicateur, le journaliste ne sait plus très bien de quel mardi il s'agit lorsque vient le temps d'utiliser la nouvelle.

Pourquoi?

Qu'est-ce qui explique qu'une décision a été prise, qui motive un changement d'attitude, qui aide à comprendre une nouvelle orientation, qui justifie une prise de position négative?

Le pourquoi permet d'évoquer les raisons qui ont amené l'entreprise à se prononcer sur un sujet donné. Il permet de bonifier, de contredire, d'attaquer, en fait, de positionner l'entreprise face au sujet du communiqué.

Comment?

Le comment présente les éléments qui vont permettre de construire l'objet du communiqué. Quels sont les paramètres utiles, les outils requis, les collaborations nécessaires à la réalisation du projet, de l'idée, de la cause proposée? Que doit-on faire pour arriver aux fins souhaitées?

Le comment permet de comprendre l'ampleur et la complexité de ce qui se passe, les moyens mis en œuvre pour y arriver, les investissements en temps, en énergie et en ressources humaines requis.

Avec qui ?

Ce dernier point ajoute un élément utile en certaines circonstances. On mentionne ici, s'il y a lieu, les agents secondaires, collaborateurs, victimes, complices, ennemis ou témoins de l'action. Ce sont souvent des intermédiaires essentiels à la compréhension de l'objet du communiqué.

Il ne faut pas confondre ce point-ci avec la règle de la tierce partie traitée au point 4. Si vous encensez des organisations sympathiques à votre cause, si vous dénoncez un corps social ou politique, si vous déplorez le sort d'un groupe social, c'est tout naturel qu'il ne soit pas nécessaire d'obtenir leur autorisation.

7. Le style

Il est important pour le rédacteur d'un communiqué de posséder certaines connaissances d'écriture de presse s'il veut être publié. Le style de rédaction doit tenir compte du type de communiqué à écrire et des divers médias écrits et électroniques auxquels il est destiné.

Le rédacteur a comme mandat de reformuler un ensemble d'informations de façon telle que les médias puissent les reproduire intégralement. Lors de la composition du texte, il doit donc adopter un style journalistique et une écriture soignée, faute de quoi son communiqué sera rejeté au profit d'un autre mieux écrit.

Il y a d'abord deux règles de base à respecter. La première consiste à écrire pour quelqu'un qui n'a jamais entendu parler du sujet traité. On ne doit pas présumer que le récepteur est au courant de la question traitée. La seconde impose un style dépersonnalisé et neutre afin que le récepteur oublie qu'il y a un rédacteur derrière le texte et croit recevoir des faits bruts, exception faite du communiqué de prise de position. Ce qui signifie qu'il faut éviter les pronoms personnels et les envolées trop élogieuses. Mais en même temps, le communiqué exige un ton convaincant, donc une argumentation serrée. Nous reviendrons sur ces deux règles de base.

Le rédacteur aura en tête le fait que son texte s'adresse à des lecteurs très diversifiés. Il doit les atteindre tous avec la même efficacité et faire en sorte que tout citoyen comprenne facilement l'information livrée. Dans une recherche effectuée aux États-Unis sur la façon dont les médias traitaient les communiqués d'une organisation donnée, Walters *et al.* (1994, p. 354) ont démontré qu'ils étaient réécrits et réduits de moitié, qu'en moyenne, les mots étaient coupés en deux, qu'il y avait deux fois moins de phrases et de paragraphes et que la forme passive était remplacée par la forme active dans la moitié des cas.

Voici les principales qualités que doit avoir un communiqué bien rédigé :

La concision et la clarté

Le communiqué doit être bien écrit et complet. La clarté et la concision sont deux éléments qui contribuent à son efficacité. Il ne s'agit pas de rendre la nouvelle intéressante par le style utilisé. L'intérêt réside dans le sujet traité, dans les faits proposés (Angel et Aulick, 1976, p. 31).

Comment alors écrire une nouvelle? En ayant recours à la simplicité, à la brièveté, à la précision et en présentant les faits par ordre d'importance. En principe, une nouvelle est composée de faits et non d'opinions, à moins de produire un communiqué d'opinions.

Plus le texte est court, plus il a de chances d'être publié ou diffusé tel quel. Le risque de rejet et de coupure croissant avec la longueur, il faut limiter le texte à un maximum de deux pages afin d'éviter la redite, la surcharge et, donc, le désintérêt.

Le texte est rédigé dans une langue correcte, vivante et parfaitement claire. Il doit absolument être compris dès la première lecture.

Un ton objectif

Le ton est objectif, factuel et neutre : couper court à tout ce qui peut paraître émotif. On évite de parler à la première personne pour le faire de préférence à la troisième personne. Il ne faut jamais écrire : « Nous sommes très heureux aujourd'hui de lancer notre magnifique modèle... » Mais plutôt : « La compagnie X lance... »

On n'utilise jamais de jugements de valeur ni de qualificatifs qui relèvent de la subjectivité. Dans l'exemple précédent, au lieu de dire «très heureux» et «magnifique», on préférera un langage neutre comme celui-ci: «La compagnie X lance aujourd'hui un nouveau modèle...» Nous avons vu plus haut comment la nomination du nouveau président de la Régie des télécommunications avait été présentée aux médias et comment ceux-ci avaient expurgé les connotations politiques.

Le lecteur ne doit pas sentir que quelqu'un parle derrière un communiqué, mais il doit plutôt y voir la description objective d'une réalité. Ainsi, dans un conflit, l'administration ne devrait pas écrire: «Nous jugeons tout à fait inacceptable le geste des contestataires...», mais de préférence: «Des incidents ont obligé la direction à prendre les mesures suivantes...»

On évitera toutes formes de revendication ou de contestation. Il existe une exception à cette règle avec les communiqués qualifiés de prise de position: un individu ou un organisme fait une déclaration dans laquelle il juge ou condamne une situation de façon personnalisée. Dans ce cas, la première personne et les jugements de valeur font intrinsèquement partie du texte. Il en est de même du communiqué politique.

En règle générale, pour que la nouvelle soit bien perçue des journalistes, le ton de l'écriture doit être objectif. Le récepteur du communiqué doit ignorer qui en est le rédacteur et ne pas percevoir si celui-ci a un parti pris dans le message livré.

Il importe de ne présenter que des faits, donc aucun jugement de valeur, aucun engagement; il faut écrire à la manière d'un journaliste qui décrit de façon objective les faits qui sont portés à son attention. Ce qui ne signifie pas qu'on ne doit pas livrer son opinion. Mais celle-ci doit passer par des énoncés rationnels.

Ainsi, on peut donner son point de vue avec des «je crois», «je suis convaincu», «je suis absolument certain» ou avec des éléments qui vont étayer une argumentation. Dans un cas comme dans l'autre, l'entreprise défend une position, mais le style journalistique impose l'argumentation plutôt que la conviction.

Un langage accessible

La rédaction d'un communiqué se refuse, en principe, à toute figure de style littéraire. Elle repose sur le choix de mots précis et sur la construction de phrases simples en plaçant, si possible, l'objet au début. Ce qui compte, c'est de ne pas perdre de vue la compréhension du lecteur. Il doit obtenir réponse à toutes ses questions en une seule lecture.

Il faut aussi utiliser un langage accessible : éviter les jargons internes ; faire des phrases courtes, ne pas utiliser de sigles sans en donner la signification. Et toujours bien identifier les personnes ou les entreprises citées. Car si elles sont familières au rédacteur, il n'en est peut-être pas ainsi pour les récepteurs. Pour les messages adressés aux médias électroniques, le style direct est encore plus de rigueur.

Pour apprendre à connaître les différents styles utilisés par les médias, il faut faire une lecture attentive des journaux, écouter les bulletins de la radio et de la télévision et réaliser que chaque média possède son style propre.

Le style journalistique n'exclut pas le recours à certaines formes littéraires comme la métaphore, par exemple. Mais ces emplois figurés doivent être présentés dans un style direct et non littéraire. S'il est vrai qu'il faut bannir le jargon légal, il ne faut pas hésiter à enrichir son vocabulaire de mots précis qui traduisent exactement l'objet ou l'idée à identifier. Enfin, il est préférable de construire le communiqué avec des phrases courtes.

On suggère d'avoir recours à la forme active plutôt que passive, laquelle est plus lourde. Au lieu d'écrire : « Ils étaient plus de cinq mille personnes à la manifestation d'hier devant le Parlement », on peut écrire : « Cinq mille personnes manifestent devant le Parlement. »

Schneider (1970) résume ainsi les principales caractéristiques d'un communiqué :

La rédaction d'un communiqué, même très bref, requiert une grande expérience et n'est pas chose facile. Pour attirer l'attention d'un journaliste et l'intéresser, un communiqué doit obligatoirement présenter les caractéristiques suivantes :

— avoir un titre accrocheur qui ne soit pas général, mais résume l'information ;

— présenter une véritable information ;

— être bref (ce qui ne veut pas dire que le communiqué ne puisse être complété par des documents annexes plus détaillés).

La répétition

Certaines entreprises ont développé des règles internes d'écriture et des modèles de présentation de leurs communiqués qui, à long terme, ont une influence positive sur leur image.

Elles mentionnent, notamment dans le premier paragraphe, le nom de l'entreprise et s'assurent qu'il revient au moins une autre fois dans le texte. Elles voient aussi à ce que le nom du produit ou du service qu'elles veulent mettre en valeur soit cité à plusieurs reprises.

Cette règle de répétition relève de la publicité, mais lorsqu'elle est utilisée avec intelligence dans un communiqué, elle facilite la mémorisation du nom de l'entreprise ou du produit.

La relecture

Relire le communiqué pour éviter les coquilles et les erreurs et toujours le faire relire par une personne autre que celle qui l'a écrit est une nécessité. Un œil extérieur décèle plus facilement les erreurs que celui du rédacteur, qui finit par ne plus voir ce qu'il a déjà relu à plusieurs reprises.

Surveiller la forme grammaticale et les erreurs typographiques et d'orthographes. Enlever les mots excessifs et la terminologie superflue. Le texte doit être neutre en tout point.

Vérifier le nom des personnes citées, donner leur titre exact et les coordonnées utiles additionnelles, s'il y a lieu. Une erreur dans le nom ou dans le titre à la source même du communiqué sera reprise et répétée pendant longtemps par les journalistes et par ceux qui s'inspireront de l'information ainsi diffusée et pourra causer des inconvénients aux uns et aux autres (Ross, 1990, p. 8). S'assurer également, de façon très attentive, de l'exactitude des données, des adresses et des numéros de téléphone, car les relecteurs ne sont pas en mesure de déceler ce type d'erreur. Un seul chiffre inexact dans un numéro de téléphone rend l'information irritante ; d'abord, pour celui qui utilise ce numéro pour obtenir les renseignements nécessaires ; ensuite, pour l'interlocuteur qui se fait déranger inutilement plusieurs fois.

La journaliste Lederman (1996) signale qu'elle a un préjugé négatif envers la source dès qu'elle voit une erreur grammaticale.

Il arrive parfois que des coquilles changent le sens d'une phrase. Ainsi, l'exemple 37 illustre cette situation où, dans un communiqué ministériel, au lieu d'écrire que le ministre revenait <u>à</u> Québec, on a écrit <u>au</u> Québec. Or, comme le ministre avait rencontré des communautés algonquines de Témiscamingue et de Maniwaki, le journaliste a présumé qu'il revenait d'un autre pays. La coquille a donné lieu à un article.

À ne pas faire

Il ne faut pas écrire «Nouvelle importante» dans l'en-tête du communiqué. C'est irritant, car ceci sous-entend que les autres nouvelles ne sont pas importantes ou que le journaliste n'est pas capable de discerner une nouvelle importante d'une autre.

On doit également éviter d'écrire : «Nouvelles de première page». Cette décision appartient aux médias. Si la nouvelle est bien présentée, si elle est importante et si elle n'entre pas en compétition avec d'autres nouvelles plus importantes cette journée-là, elle paraîtra en première page. Mais c'est là le choix du média.

Dans toute la mesure du possible, ne pas séparer un paragraphe d'une page à une autre. Ceci simplifie la tâche de ceux qui font la mise en pages ou en ondes.

8. La structure technique du communiqué

Au moment de rédiger la copie finale du communiqué, le respect de certaines règles purement techniques s'impose afin que le document soumis ait un caractère professionnel. Toute dérogation à ce modèle non restrictif mais universellement reconnu peut indisposer le journaliste qui le reçoit. Un communiqué mal présenté signale d'emblée qu'il s'agit

Exemple 37

LE SOLEIL, 27 avril 1997, A7

Une simple erreur de frappe change toute la géographie !

Québec reconnaît depuis belle lurette que les autochtones forment des « nations distinctes ». Serait-il sur le point d'admettre que les Amérindiens occupent un territoire qui ne fait plus partie des limites géographiques du Québec ?

———

par GILLES BOIVIN
LE SOLEIL

On serait tenté de le croire à la lecture d'un communiqué émis cette semaine par le cabinet du ministre délégué aux Affaires autochtones, Christos Sirros.

On y précise en effet que le ministre est « de retour au Québec (sic) après avoir rencontré les communautés algonquines de Témiscamingue et de Maniwaki »,

deux régions fort éloignées de la Vieille Capitale certes, mais toujours parties du Québec.

Une malencontreuse erreur de frappe qui n'a rien à voir avec l'élaboration de la politique gouvernementale en matière autochtone promise par le ministre, faut-il conclure.

d'une communication d'un groupe peu organisé. Pour transiger avec les professionnels, il faut savoir parler le même langage qu'eux.

Les rédacteurs et chefs de nouvelle sont des gens pressés. Ils n'ont pas le temps de lire des lettres avec des formules de politesse tradition-nelles. Ce qu'ils recherchent, c'est l'information.

La présentation matérielle

Voici donc ces règles précises qui feront de votre communiqué un travail professionnel. L'exemple 35 illustre les différents éléments de la présentation matérielle.

L'en-tête

Il faut d'abord utiliser un papier à en-tête de l'entreprise et s'assu-rer que sa raison sociale ou son nom, son adresse et son numéro de téléphone y sont indiqués. L'utilisation du papier à en-tête, c'est-à-dire officiel, dénote l'importance de l'entreprise concernée. Habituelle-ment, la raison sociale apparaît en haut de la page et les coordonnées, en bas de la page. Mais comme toutes les combinaisons sont possibles, l'important, c'est que l'entreprise soit bien identifiée.

En l'absence de papier à lettre officiel, le nom de l'entreprise doit être clairement inscrit en haut à gauche. Le journaliste saura rapidement qui est l'émetteur du message. L'adresse et le numéro de téléphone peuvent être inscrits au-dessous de la raison sociale, à côté ou sur la dernière ligne de la première page.

Le mot communiqué

Le mot COMMUNIQUÉ, écrit en lettres majuscules, figure dans la partie supérieure de la première page. On peut l'inscrire au centre ou à droite de la page, puisque la raison sociale apparaît habituellement à gauche. C'est, en fait, le premier mot qui apparaît au sommet du texte, si l'on excepte l'en-tête.

Plusieurs entreprises qui traitent régulièrement avec les médias ont un papier à en-tête qui porte également la mention «communiqué». Ce mot apparaît habituellement en haut de la page, mais il peut être mis sur le côté gauche, dans le sens vertical, ou être présenté d'une tout autre façon (exemple 38).

Exemple 38

Lorsqu'il s'agit d'une INVITATION ou d'un RAPPEL, ces mots remplacent alors le mot communiqué au sommet de la page.

Le code de référence

Les entreprises qui émettent régulièrement des communiqués donnent à chacun d'eux un code de référence aux fins de classement interne. Ce code peut être un chiffre séquentiel.

Il est important pour une entreprise de conserver et de classer ses communiqués par ordre chronologique ou par thème. Dans certaines entreprises, on conserve dans un cahier spécifique tous les communiqués émis au cours d'une période donnée.

Le code de référence permet par ailleurs à certaines entreprises qui ont des services distincts qui traitent avec les médias ou qui ont des bureaux régionaux de contrôler l'émission des communiqués en leur octroyant un numéro séquentiel.

Ces divers codes n'ont de réelle signification que pour l'entreprise. Ainsi, dans l'exemple 1 apparaissent en bas à droite les chiffres suivants : 89-11-05-67. Il s'agit d'une référence séquentielle des communiqués qui permet à l'entreprise de savoir combien elle a émis de communiqués dans le mois et dans l'année. Voici comment se lit ce code :

- 89 signifie 1989 ;
- 11 signifie le onzième mois de l'année, soit novembre ;
- 05 signifie le cinquième communiqué expédié durant le mois de novembre ;
- 67 signifie le soixante-septième communiqué de l'année.

L'avis de publication

Il s'agit de donner aux médias l'information qui leur permet de savoir à quel moment ils peuvent diffuser le communiqué. La règle générale veut qu'on inscrive : «Pour publication immédiate». Le terme est utilisé par la majorité des entreprises, même si c'est un anglicisme, car il est la traduction littérale de «For immediate release». En français, la préposition «pour» doit être suivie d'un verbe lorsqu'il s'agit d'une action. On ne dit pas pour nourriture, mais pour manger. En France, on utilise parfois la terminologie : «Prière d'insérer». Ce qui signifie que le média peut diffuser le communiqué sur l'heure.

Povell (1982, p. 177) signale que certains communicateurs ne voient pas la nécessité de préciser que le communiqué est «pour publication immédiate», puisque le seul fait de le transmettre aux médias signifie automatiquement qu'ils peuvent l'utiliser sur-le-champ. Il s'agit donc davantage d'une tradition qui se perpétue que d'une nécessité qui s'impose.

Le journaliste Rémi Tremblay (1996) déplore, avec justesse, la pratique de certaines entreprises qui indiquent sur le communiqué : «À publier intégralement». Il n'appartient pas à l'entreprise de décider ce qui va se publier, mais bien de proposer aux médias de la matière à publier.

L'avis de publication se place dans le coin supérieur droit, immédiatement sous le mot COMMUNIQUÉ. Dans certaines circonstances, on peut mettre un embargo, c'est-à-dire on peut demander aux médias de retenir l'information jusqu'au moment indiqué sous l'embargo.

L'embargo

L'embargo est une pratique qui consiste à demander aux médias de retarder la diffusion d'un communiqué déjà expédié jusqu'à une date donnée. Il s'exprime par le mot EMBARGO, suivi de la date et de l'heure où les médias peuvent diffuser l'information et, donc, la rendre publique.

Quelles raisons motivent l'utilisation de l'embargo, lequel constitue une exception dans l'émission des communiqués ? Pourquoi faut-il prévenir les médias et leur demander de ne pas diffuser ?

La première raison est pratique. Le jour et l'heure de tombée des médias diffèrent selon des paramètres qui leur sont propres. La radio diffuse à toutes les heures, la télévision a deux ou trois bulletins d'informations par jour, les quotidiens bouclent à des heures différentes et la journée de fermeture varie selon les hebdomadaires. Si une entreprise désire annoncer un événement qui ne sera concrétisé qu'à une date donnée, elle pourra dans les jours qui précèdent envoyer un communiqué sous embargo aux médias.

Lorsque le courrier était le mode de diffusion le plus fréquent, l'utilisation de l'embargo se justifiait davantage, car le communiqué pouvait arriver dans certaines salles de rédaction avec un décalage d'un, deux ou plusieurs jours selon les distances à parcourir. Mais, aujourd'hui, avec les agences de diffusion, la télécopie et le courrier électronique, cette situation ne se produit pratiquement plus.

La seconde raison est tactique. Elle sert à prévenir les médias et les journalistes d'un événement, d'un problème, d'une décision quelque temps avant qu'il ne se réalise et leur permet d'être aux aguets et de se familiariser avec la complexité du sujet. Connaissant le contenu de la nouvelle, les médias pourront se préparer à lui donner toute la couverture souhaitée au moment prescrit.

Il faut prendre garde, toutefois, que si le communiqué est expédié avec un embargo trop éloigné, le journaliste se fasse confirmer la nouvelle par une autre source et se sente alors libéré de la consigne de réserve.

Lorsqu'il est question d'embargo, on parle de devoir de réserve, car les médias ne sont pas tenus de le respecter. C'est une convention reconnue entre les médias et les sources d'information, mais elle repose sur la confiance mutuelle que se font ces deux partenaires. Si l'embargo est habituellement respecté, il arrive qu'il soit transgressé, soit parce qu'un média tient absolument à sortir la nouvelle en raison de son importance, soit par inadvertance. Le respect de l'embargo fait partie de l'éthique journalistique. Il n'a aucune valeur juridique, mais on le respecte généralement compte tenu du préjudice causé à celui qui le violerait.

Il faut donc savoir que les médias ne vont pas nécessairement se plier à l'embargo. Les journalistes et les médias qui ne le respectent pas risquent d'altérer la confiance des détenteurs d'information à leur endroit. Cela dit, on ne peut empêcher la divulgation d'une information qui fait l'objet d'un embargo si les journalistes ou les médias d'information la tiennent déjà d'une autre source.

Si une information qui fait l'objet d'un embargo est révélée au public à la suite d'une fuite, d'une erreur ou du non-respect d'un des médias, les autres médias d'information ne se sentent plus tenus d'observer cette convention du métier.

En résumé, on utilise l'embargo lorsque l'on fait suivre des informations avant la date officielle de leur dévoilement.

Il existe aussi une pratique où, au lieu d'une date et d'une heure données, on spécifie une circonstance : ne pas publier avant la présentation de l'allocution prévue pour telle date. L'embargo se lit alors ainsi :

EMBARGO : Jusqu'au moment de la
           présentation du texte
           prévue pour le
           12 novembre 1996 à 13 h

Il est déjà arrivé que, pour certaines raisons, une réunion prévue n'ait pu se tenir : mort d'une personnalité, tempête de neige, etc. L'embargo étant prévu pour tel jour et telle heure, le communiqué a été diffusé dans les médias même si l'événement n'a pas eu lieu. C'est pour éviter de telles situations qu'on lie l'embargo, non seulement à une date donnée, mais lors d'un événement donné.

Le mot EMBARGO se place à droite, dans le haut de la page, ou sous le mot communiqué si celui-ci n'est pas au centre.

L'agence de diffusion

Nous définirons au point 10 le fonctionnement des agences de diffusion. Il faut toutefois savoir qu'il convient d'aviser les médias que le communiqué qui leur a été remis de main en main, par télécopieur ou par courrier a aussi été diffusé par une agence en inscrivant son nom et l'aire de diffusion choisie. Cette information se place dans le coin supérieur droit sous l'avis de publication.

Par cette information, le journaliste qui reçoit directement le communiqué sait qu'il a déjà été acheminé dans son média par un téléscripteur, ce qui lui permettra donc, avant de rédiger une nouvelle, de s'assurer que le chef de l'information ou des nouvelles n'a pas déjà utilisé tel quel le communiqué reçu de l'agence.

S'il traite l'information, le journaliste s'efforcera de le faire de façon différente du communiqué pour ne pas se faire rappeler, par son directeur d'information, qu'il n'a fait que copier le communiqué.

Le titre

Le titre apparaît ensuite. Il est présenté sur un maximum de deux lignes, en lettres majuscules.

Dès que le titre dépasse une ligne, on doit voir à ce que, dans la mesure du possible, chacune des lignes comporte un nombre égal de caractères.

Le titre peut être centré ou commencer au bord de la marge de gauche. On n'écrit jamais le mot « titre ».

Il arrive parfois que le titre soit coiffé d'une petite ligne explicative appelée « exergue » ou surtitre. C'est un complément d'information qui précise la nouvelle. À titre d'exemple, on pourrait retrouver comme exergue et comme titre les éléments suivants :

Lors du championnat canadien :   le surtitre

L'ÉQUIPE DU QUÉBEC A REMPORTÉ LE   titre
PLUS GRAND NOMBRE DE MÉDAILLES

Le lieu et la date d'émission

Au tout début du communiqué, on inscrit le nom de la ville d'où il est émis et, le cas échéant, le nom de la province, suivi de la date et d'un tiret.

Exemple : Montréal, le 20 mai 1996 –. Certaines entreprises mettent ces informations entre parenthèses. L'une et l'autre façons sont acceptées.

Il est important de ne jamais oublier de dater tous les documents.

Le – 30 –

En tout temps, le communiqué se termine par le nombre – 30 –. Cette convention journalistique signifie la fin du communiqué. Tout ce qui est écrit après ce nombre ne doit pas être publié, mais sert d'information complémentaire au journaliste.

Paneth (1983, p. 482) précise que l'origine du – 30 – demeure inconnue, mais qu'il existe quelques explications sur l'histoire de cette tradition. Il cite celle de Charles Collins, du *Chicago Tribune*, qui, en 1940, émit l'hypothèse que cette coutume venait des opérateurs de télégraphe qui avaient pris l'habitude de codifier en chiffres certaines opérations. Ainsi «un» signifiait: «attends un instant»; 7: «vas-y»; 13: «qu'est-ce qui ne va pas?»; 30 «fin du propos»; 73: «salutations distinguées». La plupart de ces codes avaient été inventés par Walter P. Philipps et utilisés pendant plus de 50 ans. Mais Paneth signale que ni le chiffre 30 ni le chiffre 73 n'apparaît dans le livre original des codes de Philips. Le magazine *Le 30* (1996, p. 38) écrit à ce sujet: «L'explication qui représente le plus de crédibilité toutefois est celle qui fait remonter l'utilisation du – 30 – à la Première Guerre mondiale, alors que ce chiffre était, dit-on, un élément de code que les officiers de l'armée anglaise inscrivaient dans leurs messages pour en indiquer la fin.»

Paneth note que Collins fait état de sept autres théories dont l'une citée par Philipps lui-même qui expliquait que les télégraphistes, dans les années 1870, terminaient leur travail vers 3 h 30 et plaçaient un triple XXX après le dernier envoi.

Voici quelques autres explications. L'une veut qu'un correspondant de guerre ait été tué au moment où il écrivait le chiffre 30 sur son texte. Le chiffre est devenu synonyme de fin. Une autre veut qu'en temps de guerre, les dépêches ne devaient pas avoir plus de 30 lignes.

On raconte aussi qu'au début du siècle, une imprimerie de Londres prit feu et que 30 typographes y périrent. Ou, encore, que les journalistes avaient l'habitude de terminer leurs textes en mettant trois XXX à la fin de ceux-ci. Ces trois XXX se seraient convertis aujourd'hui en chiffres arabes.

Enfin, on prétend qu'à Londres, les journalistes avaient coutume d'aller au pub prendre une bière après leur journée de travail. Pour indiquer qu'ils étaient prêts à aller boire, ils terminaient leur texte en remplaçant le mot «thirsty» (soif) par le mot «thirty» (trente).

La source

Après la mention – 30 –, donc pour non-publication, on indique la source, c'est-à-dire le nom de la personne-ressource et son numéro de téléphone au cas où des journalistes ou recherchistes voudraient obtenir des renseignements supplémentaires. Le cas échéant, on indique le numéro de télécopieur et l'adresse de courrier électronique en utilisant les mots télécopieur ou fax, et les mots courrier électronique ou E-Mail.

Il arrive qu'à côté de la source, on mentionne un autre nom pour information. C'est une pratique à éviter. Le journaliste ne sait plus s'il doit téléphoner à la source ou à celui dont le nom apparaît pour les renseignements. Et le communicateur ne sait plus qui doit dire quoi au journaliste.

Il faut une seule source d'information. C'est à elle ensuite de diriger les journalistes vers les bons interlocuteurs dans l'entreprise.

Dans certaines circonstances, toutefois, il peut être de mise de donner deux noms. Mais les deux personnes doivent remplir le même rôle. On a recours à une telle procédure, par exemple, quand on demande à des journalistes de confirmer leur présence. C'est aussi le cas lorsque les journalistes peuvent recevoir des informations supplémentaires de deux endroits différents, par exemple, de Québec ou de Montréal. Ou, encore, lorsque plusieurs entreprises participent à une même activité, chacune d'entre elles peut y inscrire une source de référence.

Quand il s'agit de dossiers complexes, il est préférable de diriger le journaliste directement vers l'expert pour l'obtention des compléments d'information. Dans ce cas, l'expert ne doit pas aborder les questions d'ordre politique, mais seulement les questions d'ordre technique. En principe, il ne lui appartient pas de donner les raisons qui ont motivé tel ou tel choix, mais bien d'expliquer la solution retenue.

La personne identifiée comme la source du communiqué doit pouvoir fournir aux journalistes toute information utile sur le contenu du communiqué de même que sur les circonstances qui ont entouré son émission.

Si pour une raison quelconque la source doit s'absenter, il faut qu'une autre personne habilitée à répondre aux journalistes soit accessible. On lui acheminera automatiquement tous les appels destinés à la source. La personne qui répond excuse d'abord la source et demande si elle peut être utile à l'interlocuteur. Les journalistes n'hésitent pas à critiquer les situations où personne n'est libre pour répondre à leurs questions à la suite d'un communiqué (exemple 39).

Le communiqué n'est pas accepté naïvement par les journalistes. Ils vont souvent chercher des informations supplémentaires en s'adressant à la personne-ressource mentionnée. Celle-ci, ou celle qui la remplace, doit donc avoir l'habitude de traiter avec les journalistes et connaître très bien le dossier en question de façon à pouvoir les renseigner adéquatement, tout en évitant, d'une part, de se laisser piéger par certaines questions et, d'autre part, de donner des informations non pertinentes.

Lorsqu'on expédie un communiqué à un journaliste et qu'on ne met pas de numéro de téléphone où il peut nous rejoindre le soir ou le week-end, c'est en quelque sorte lui dire : Téléphone-moi selon mes disponibilités et non les tiennes. Il ne faut pas hésiter à se montrer extrêmement accessible aux médias, car on ne sait jamais à quel moment ils auront besoin d'entrer en contact avec la source (Ketchum, 1989).

La photographie

Dans quelles circonstances est-il utile de joindre une photo au communiqué ? Pour répondre à cette question, un certain nombre d'éléments doivent être pris en considération.

◆ L'apport de la photo

La première question est de se demander ce que la photo va apporter de plus au communiqué. Dans le cas d'une nomination, par exemple, il est évident qu'elle va donner une dimension plus vivante du personnage promu. En fait, elle permet d'ajouter une information supplémentaire.

L'étude de V. Morin (1970) sur la relation entre le texte et l'image dans un message, en l'occurrence la caricature, a permis de mieux percevoir les circonstances où une photo s'impose. Elle distingue trois cas : 1) l'image a absolument besoin du texte pour que le message soit compréhensible ; 2) l'image pourrait très bien se passer du texte pour être intelligible ; 3) l'image est tout à fait inutile et le texte écrit suffit pour comprendre le message. L'auteure précise toutefois qu'une image sans texte livre un message peu étoffé. On peut cependant l'utiliser dans ces trois cas. C'est, par contre, sa qualité plutôt que sa signification qui orientera le choix du média.

Exemple 39

Télésystème National dépose une offre pour Télésat

Claude Turcotte

CHARLES SIROIS aurait-il décidé de jouer à David contre Goliath ? Il semblerait que oui, puisque sa compagnie Télésystème National a décidé de présenter un offre d'achat de 53 % des actions de Télésat détenues par le gouvernement canadien. L'offre arrive une journée après celle de Spar et de Télécom, une société à laquelle participent 9 compagnies de téléphone parmi les plus importantes au Canada.

M. Sirois est le président et l'actionnaire majoritaire de Télésystème National. La Caisse de dépôt et placement du Québec détient dans cette société privée une participation de 30 %. Selon la porte-parole de la Caisse, Mme Suzanne Brochu, la Caisse ne participe pas à cette offre. « Si c'était le cas, Télésystème National en ferait état dans son communiqué », a-t-elle dit. Elle a rappelé l'exemple du dossier Steinberg dans lequel la Caisse s'est associée à Socanav pour présenter une offre d'achat.

Le communiqué émis par Télésystème National ne fait en effet aucune mention d'un partenaire dans la présentation de cette offre d'achat, ni la Caisse, ni tout autre institution. On peut y lire ceci : « Sous la direction de Télésystème National, Télésat Canada développerait le plein potentiel qui s'offre à elle pour le rayonnement du savoir-faire canadien à l'échelle internationale. Cette proposition de Télésystème National s'inscrit dans une stratégie globale d'entreprise spécialisée dans les communications et les télécommunications internationales ».

Hier après-midi, le directeur des communications de Télésystème National était absent de son bureau pour fournir de plus amples informations après la diffusion de cet important communiqué et personne d'autre n'était disponible pour le faire à sa place, ce qui étonne en pareille circonstance. En décembre dernier, Télésystème National faisait l'acquisition de 8,1 % des actions ordinaires de Téléglobe et de billets convertibles en actions pour une valeur de 28,3 millions $.

Pour ce qui est de Télésat, le prix d'achat de 53 % des actions détenues

Charles Sirois

par le gouvernement fédéral se situe entre 50 et 100 millions $. Télésat a par ailleurs une dette de près de 400 millions $. Étant une société privée, on ne connaît pas très bien la santé financière de Télésystème National. M. Sirois a cependant toujours réussi jusqu'à maintenant à se débrouiller fort bien dans le monde de la finance et des communications. Il a déjà eu

BCE comme partenaire et il jouit depuis un certain d'années de l'appui de la Caisse de dépôt.

Toutefois, en se présentant, seul, contre Spar, le plus important industriel canadien dans le secteur aérospatial, associé par surcroît à Télécom, M. Sirois a vraiment l'air d'un tout petit David à côté de deux Goliath. Mais ce n'est pas la première fois dans sa carrière encore très jeune que M. Sirois se met en position de poser des gestes audacieux, mais, sauf erreur, jamais contre d'aussi imposants concurrents.

Chez Télécom hier après-midi personne n'était encore au courant de cette offre présentée par Télésystème National. On s'est contenté de dire que tout le monde avait le droit de présenter une offre.

C'est le 7 janvier dernier que le gouvernement canadien a fait savoir qu'il mettait en vente sa participation de 53 % dans Télésat, considéré comme un leader mondial dans la conception, le développement, le lancement et l'utilisation de satellites. Les neuf compagnies de téléphone membres de Télécom possèdent le reste des actions, soit une participation de 41,6 %, de Télésat.

LE DEVOIR, 1er février 1992, B1

Barthes (1967) et Eco (1965), de leur côté, ont démontré qu'une image sans texte était polysémique et que l'interprétation du message reposait alors dans l'imaginaire du récepteur.

Morton (1984), à la suite de l'analyse d'un certain nombre d'études, en arrive aux mêmes conclusions:

— les photos sont moins efficaces que le texte pour présenter des messages en relations publiques;

— la combinaison de photos et de légendes est plus efficace que les textes lorsque l'on vise des jugements de valeur;

— la combinaison d'une photo et d'une légende explicative possède une plus grande efficacité que l'un et l'autre séparés;

— la combinaison d'une photo avec une légende sans lien direct diminue l'effet des deux, sauf si la photo est offensive.

◆ L'attrait de la photo

L'information-spectacle est devenue la norme dans les médias. De plus, le modèle télévisuel, c'est-à-dire celui qui repose sur l'image avant tout, gagne les médias écrits qui n'hésiteront plus à utiliser, sinon abuser de l'image, si celle-ci constitue en soi un élément attrayant. Ce qui signifie que tous les médias sont intéressés par l'apport de la photo.

Dès lors, s'il est possible d'accompagner le communiqué de presse de bons documents photographiques, cela peut ajouter un caractère original à l'information. En effet, la photographie peut être porteuse d'un message précis. Elle apporte un petit quelque chose de plus à l'information et incite souvent les journalistes à la publier en même temps que le communiqué (Laliberté, 1982). À tel point qu'en certaines circonstances, ce sera la photo d'accompagnement qui sera utilisée comme nouvelle et non le communiqué. Son originalité, son attrait et sa signification peuvent en faire un élément d'information à elle seule.

«Par ailleurs, une photo peut être envoyée à la presse avec simplement un titre et une légende pour mentionner un événement pour lequel il serait superflu de composer un texte, faute de matière. Cette pratique est courante pour la présentation d'une bourse, d'un prix ou des nouveaux dirigeants d'un groupe» (Cercle de presse de l'amiante, 1984, p. 8).

◆ La légende

Compte tenu que les médias peuvent utiliser la photo sans diffuser le communiqué, qu'une image sans texte livre un message flou et mal défini, il est essentiel de toujours accompagner la photo d'une légende.

Cette légende doit résumer la nouvelle, être courte et donner un sens à ce qui apparaît sur la photo. « Pour chaque photo incluse avec le communiqué, une légende (un court texte descriptif) doit être écrite. Quelques lignes suffisent pour la décrire ou énumérer, de gauche à droite, les personnes apparaissant sur celle-ci » (Cercle de presse de l'amiante, 1984, p. 8).

Lorsque la photo représente des individus, il faut éviter d'écrire : « sur cette photo vous voyez de gauche à droite... » Ce sont des mots inutiles. On écrit seulement (de g. à dr.) et on énumère le nom des personnes ainsi que leur titre.

La légende doit être présentée sur une feuille d'accompagnement et ses principaux éléments doivent apparaître à l'endos de la photo. La feuille sert à la rédaction de la nouvelle et ce qui est inscrit à l'arrière décrit la photo, avec la date. Elle est ensuite classée dans les archives. Ainsi, si elle devait être réutilisée, on aura sa description.

◆ L'aspect technique

« Pour favoriser sa reproduction, il est préférable d'acheminer une photo prise avec un film noir et blanc et un appareil 35 mm pour le journal et une photo prise avec un film couleur et un 35mm pour la télévision » (Cercle de presse de l'amiante, 1984, p. 8). Toutefois, il faut savoir que les médias écrits utilisent aussi la couleur et que la photo en couleurs peut aussi être publiée en noir et blanc. Dans tous les cas, ce sont les jeux de lumière appropriés qui comptent, ce qui nécessite une certaine expérience de la photographie. Pour la télévision, on peut y joindre une diapositive.

Il est recommandé d'utiliser les services d'un photographe professionnel, si un groupe ne compte pas dans ses rangs un photographe amateur d'expérience. Il faut mettre toutes les chances de son côté, car la photo doit en concurrencer plusieurs autres (Cercle de presse de l'amiante, 1984, p. 8).

Reilly fait remarquer (1985, p. 137) que même s'il existe de nombreux et excellents photographes avec des portfolio remarquables, il devient difficile de trouver un photographe qui saura rendre en image et de façon convaincante le propos que vous voulez illustrer. Si l'esthétique de la photo est intéressante, elle ne doit pas balayer l'intention d'information qui la justifie dans un média. Il faut donc être familier avec les différents photographes et savoir évaluer ce qu'ils peuvent vraiment faire dans le domaine de l'actualité.

Lorsqu'il s'agit de photos, il faut également prendre en considération les éléments suivants quand une entreprise a recours à des photographes : les frais du photographe, le nombre de photos désirées, le coût de chacune d'elle au moment du contrat et celui des photos supplémentaires, la propriété et la signature des photos.

◆ Les habitudes des médias

Malgré tout l'intérêt que peut constituer une photo, il faut savoir que les quotidiens utilisent de moins en moins celles qui leur parviennent des entreprises. Il y a deux raisons principales à cela. La première, c'est que ces photos sont standardisées et souvent peu originales, car les photographes qui les prennent n'ont pas toujours la compétence requise. La seconde, c'est qu'il s'agit de photos banalisées qui se retrouveront dans tous les médias. Ces derniers préfèrent donc avoir recours à leur photographe pour obtenir des prises de vue originales.

La situation est un peu différente dans les hebdomadaires, car parfois, ils ne disposent pas de photographes pour couvrir un événement. Ils acceptent alors plus facilement les photos fournies par les entreprises.

Par ailleurs, lorsqu'il s'agit de logo, de maquette ou de documents inédits, la photo, le prêt-à-photographier ou la diapositive fournie par l'entreprise rend parfois mieux les nuances de couleur souhaitées, car dans ces cas, les prises de vue sont soigneusement étudiées avec la lumière appropriée et les appareils adéquats que n'ont pas toujours en main les photographes ou les *cameramen* des médias.

◆ Les retombées

Il faut toutefois retenir le principe suivant : si la bataille est ferme pour obtenir de l'espace/temps pour diffuser un communiqué et qu'il n'y en a peu de disponible, l'ajout d'une photo au communiqué, sauf exception, n'améliore pas les chances d'être diffusé.

Ce fait est confirmé par une intéressante étude de Morton (1984, pp. 18-19) qui fait le bilan d'un certain nombre de recherches sur le sujet et qui en arrive aux conclusions suivantes :

- le fait de fournir une photo pour accompagner un texte n'augmente pas nécessairement la possibilité de publication ;
- moins de 5 % des photos publiées par les journaux viennent des entreprises ;
- les photos relatives aux nouvelles régionales ont plus de chance d'être retenues par la télévision et, le cas échéant, par les journaux ;
- les photos avec des gens ont plus de chance d'être publiées que celles sans personne, quoique cette tendance commence à changer.

La documentation

Enfin, on indique si des documents complémentaires tels que des textes intégraux, bandes magnétiques ou autres sont disponibles ; on en précise la nature de même que la personne à contacter pour les obtenir.

Parmi cette documentation, on peut retrouver une biographie du personnage principal, l'historique de l'entreprise, la description technique du produit ou du service offert, la courbe des ventes, renseignements qui sont parfois joints directement au communiqué.

Les exceptions

Toutes ces règles sont destinées à fournir un cadre de références généralement suivies par les professionnels des communications. Mais elles comportent de nombreuses exceptions. Ainsi, l'exemple 40 présente un communiqué qui ignore un certain nombre de règles : l'entreprise est identifiée à droite et non à gauche comme on le suggère ;

«Pour publication immédiate» est à gauche et non à droite ; il n'y a pas de −30− à la fin. Il existe de nombreuses formes de communiqué, présentées de façon non standardisée, qui conservent par ailleurs leur utilité et leur chance d'être reprises dans les médias, car le contenu répond vraiment à ce que doit être un communiqué.

Le cadre physique

— Le format et la couleur du papier : il est d'usage d'utiliser du papier blanc, format lettre, soit 8 1/2 x 11 (21,5 x 28 cm). C'est la pratique de toutes les grandes organisations nord-américaines.

On accepte également un format plus grand, mais n'oublions pas que le 8 1/2 x 14 n'est pas adapté aux pochettes de presse standard qui sont conçues pour des documents 8 1/2 x 11. Il est donc préférable d'utiliser le format régulier.

On peut aussi utiliser des papiers de couleur pour attirer l'attention, mais certains journalistes trouvent qu'ils n'ont pas la sobriété que requiert ce type de communication officielle.

D'autres prétendent que la texture et la couleur du papier choisi peuvent créer une image plus favorable. Pour Weiner (1975, p. 7), l'effort et la dépense n'en valent pas la peine.

> Some publicists, particularly those in the fashion field, believe that special textures and colors of paper are consistent with their message, create an image and make their news releases more outstanding. This may be valid but rarely is worth the effort or expense

Dans certaines circonstances comme aux fêtes de Noël ou de la Saint-Valentin, des entreprises choisissent un papier plus original pour leurs communiqués. Il est en de même pour souligner une manifestation particulière.

La même pratique se retrouve lorsqu'il s'agit d'expédier des invitations. Certaines sont plutôt originales dans leur présentation. Lors du lancement de la firme de relations publiques Caramel Communications,

Exemple 40

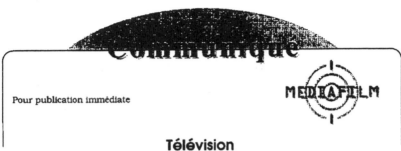

Pour publication immédiate

Télévision
Record de films américains à Télémétropole: 86%

Montréal, le 23 janvier 1997 - Une nouvelle fois, en 1996, grâce à l'apport du Canal D qui opte pour une politique cinématographique plus francophone, les films américains ont dû se "contenter" d'occuper 58 % de la programmation à la télévision. Si en apparence nos voisins du sud restent plus ou moins au même niveau que l'an dernier avec 2336 films sur les quelque 4004 productions diffusées en 1996, il est intéressant de noter que des stations comme Télémétropole et CFCF battent tous leurs records en imposant respectivement 86% et 79% de films américains.

Dans l'ensemble, le cinéma français occupe 16% (629 films) de la programmation, alors que le cinéma canadien stagne à 12% (479) et le britannique (234) à 6%.

Alors que Canal D est passé de 17% à seulement 6% de films en primeur, Radio-Canada a pu offrir 131 primeurs, soit une augmentation de 166% par rapport à une année morose comme 1995. Signalons cependant l'accroissement continuel du nombre de films américains à ce réseau.

En règle général, on a observé une tendance à diffuser de moins en moins de productions datant de plus de quinze ans. Quant à l'aspect artistique des oeuvres diffusées, on notera que la baisse de qualité se poursuit d'année en année à Super-Écran.

Les données transmises par MEDIAFILM sont d'ordre factuel, à l'exception des cotes artistiques qui sont naturellement matière d'opinion. Il est à noter que le total des films analysés dans ces statistiques n'inclut pas les répétitions d'un même film au même poste au cours d'une même année.

L'Office des communications sociales, un organisme à but non lucratif qui oeuvre dans le domaine du cinéma et des communications depuis 40 ans, compile les statistiques de films à la télévision depuis 1986. Le 1er janvier 1996, ce service a été confié à sa nouvelle agence de presse MEDIAFILM. C'est à cette agence que l'on doit s'adresser pour recourir aux services d'information cinématographique de l'Office.

Source: xxx
          Chef de la rédaction

1340, boul. Saint-Joseph est, Montréal, Québec, Canada, H2J 1M3
Tél.: (514) 524-8223 Fax: (514) 542-8522
Courrier électronique:ocs@cam.org

Médiafilm: division de Office des communications sociales - CECS inc.

à Québec, on a envoyé une boîte de caramels avec l'invitation. L'originalité déployée dans ces circonstances attire certes l'attention des médias et intrigue. Mais il faut aussi que le produit annoncé en soit à la hauteur.

- Utiliser un seul côté de la page : ceci facilite la lecture du texte que le journaliste peut faire d'un seul coup d'œil. Et si des coupures sont nécessaires, l'utilisation du recto et du verso rend impossible le retranchement des paragraphes par la fin.

- Dactylographier le texte. Un document officiel écrit à la main perd automatiquement sa crédibilité, même si l'écriture est très lisible. Les journalistes n'ont pas le temps ni le goût de déchiffrer l'écriture d'un communiqué non dactylographié.

- Disposer le texte à double interligne afin de permettre au journaliste d'apporter aisément des modifications ou de compléter l'information. Cette disposition idéale n'est, en fait, pratiquement jamais suivie, car la majorité des communiqués sont à simple interligne ou à interligne et demie.

- Laisser une marge de deux centimètres de chaque coté et au bas de la page et une marge suffisamment large en haut pour permettre d'inscrire toutes les informations requises et le titre sans surcharger le début du texte.

Les marges permettent au média de faire des corrections ou de noter des instructions. De plus, elles aèrent le texte, ce qui en facilite la lecture.

- Le communiqué ne doit pas dépasser deux pages. Concision et clarté sont les deux principales qualités d'un texte bien préparé : plus le texte est court, plus il a de chances d'être publié.

De façon générale, cinq lignes dactylographiées donnent quatre centimètres de colonne de journal et cinq secondes de radio ou de télévision.

- Que les pages soient brochées ou non, la pagination d'un communiqué de plus d'une page s'impose. Toutes les façons de paginer sont bonnes. On peut utiliser le haut ou le bas de la page. En inscrivant, par exemple, au bas de chaque page, dans le coin inférieur droit le numéro de la page suivante comme ceci ...2/, on indique au journaliste que le texte se poursuit. On écrirait le signe ...3/ sur la deuxième page pour spécifier qu'il y en a une troisième. Il y a d'autres façons d'indiquer qu'il y a plusieurs pages au texte comme celle d'inscrire « suite ...2/». Ces spécifications se mettent au bas de la page, à droite.

— La deuxième page du communiqué ne comporte pas l'en-tête de l'entreprise. Il s'agit d'une page blanche.

— Ne pas séparer un paragraphe d'une page à une autre : cela facilite la tâche du journaliste quand il doit raccourcir un texte à cause des contraintes d'espace.

Il faut donc sensibiliser les personnes qui dactylographient les communiqués à ces règles.

9. L'approbation du communiqué

Dans la plupart des entreprises, le communicateur doit soumettre son communiqué à ses supérieurs avant son expédition. Et dans les grandes entreprises, il doit également obtenir l'accord des détenteurs du contenu.

Il est fréquent, au stade de l'approbation du communiqué, d'avoir de longues discussions avec ces derniers. Habituellement, même si toutes les données sont exactes, ils ont tendance à vouloir ajouter des détails de toute nature, ils s'opposent à toute formulation qui n'est pas la leur et rendent les communiqués totalement indigestes et inacceptables pour les médias. À ce sujet, vous trouverez ci-contre (exemple 41) un texte intitulé QUAND ON VEUT TOUT DIRE, qui constitue un bel exemple de communiqué revu et corrigé par un détenteur du contenu.

L'attitude qu'il faut développer dans ces circonstances est la suivante : s'assurer auprès du détenteur du contenu que les données du communiqué sont exactes ; ou se faire expliquer les nuances qu'il veut y voir apporter pour s'assurer que le texte ne néglige pas un fait important.

Exemple 41

QUAND ON VEUT TOUT DIRE...

Transcription libre d'une vidéo démontrant comment un court texte peut être déformé par un responsable du contenu dans une entreprise.

Voici donc la discussion entre le rédacteur (Réd) et le responsable de contenu (Cont).

Réd : Je vais te lire le petit texte que j'ai préparé pour le feuillet qui doit accompagner les allocations familiales.

Titre : Parents du primaire, bienvenue en classe

« Vous avez des enfants au primaire. À compter de septembre, si vous le désirez, vous pourrez suivre en même temps qu'eux un cours d'éducation à la consommation.

Il vous suffit de vous inscrire en début de l'année au bureau de la direction de l'école. »

Cont : C'est un peu court non !

Réd : C'est ça qui est important, rejoindre le plus grand nombre de parents, leur dire où et quand ils doivent s'inscrire. Pas besoin d'en dire plus que ça. Les gens intéressés vont s'informer.

Cont : Moi, je ne suis pas convaincu que c'est suffisant pour intéresser les gens. D'ailleurs ce n'est pas complet. Il faudrait être plus précis. Tu dis « les parents du primaire ». Mais c'est un peu restreint comme clientèle. Ca s'adresse à tous les adultes ayant charge d'enfants. Et ce cours-là se donne au second cycle du primaire. Il faudrait remplacer le début par : « Tous les adultes ayant charge d'enfants qui fréquentent le second cycle du primaire ». Tu écris également : « A compter de septembre ». Pourtant il y a bien des endroits où les cours commencent en août.

Et puis pourquoi écrire : « Si vous désirez ». Je n'aime pas ça. On va se retrouver avec des gens qui ne savent même pas ce qu'ils viennent faire là.

Il faut plutôt préciser qu'on s'adresse aux adultes qui détiennent un contenu notionnel de base.

Et je lis encore : « Cours d'éducation à la consommation ». C'est le genre de chose qui va choquer le monde. On ne va pas commencer à dire aux gens qu'ils manquent d'éducation et qu'il ne savent pas consommer.

Et puis ils ne connaissent pas le cours. Il faut être plus précis. Dans le document on parlait de conscientiser les gens face à leurs besoins afin de permettre une meilleure adéquation de ceux-ci avec les ressources socio-économiques disponibles.

Réd : On ne peut pas parler aux parents comme ça.

Cont : Pourquoi ? Ils ne comprendront pas ?

Réd : Ca va les ennuyer un langage comme ça

Cont : On ne s'adresse pas à des bébés. Les gens sont habitués à des contenus théoriques. Je suis sûr que les gens sont capables de s'approprier des contenus comme ça.

Réd : Et la phrase d'aller s'inscrire à la direction de l'école, est-elle acceptable ?

Cont : Ca me semble correct, mais un peu restrictif. Imagine qu'il n'y ait pas de direction dans une école ou que la personne est absente. On devrait plutôt parler du responsable de l'administration scolaire, c'est mieux.

Réd : C'est lourd comme formulation.

Cont : Alors on reprend le texte au complet :

« A compter de la prochaine année académique, les adultes qui détiennent certains contenus notionnels de base et qui ont charge d'enfants qui fréquentent le second cycle du primaire pourront suivre en même temps que ceux-ci un cours de conscientisation face à leurs besoins afin de permettre une meilleure adéquation de ceux-ci avec les ressources socio-économiques disponibles. Il leur suffit de s'inscrire en début d'année auprès du responsable autorisé de l'administration scolaire ou de son représentant dûment mandaté. »

Et le responsable du contenu rajoute : Ca serait d'ailleurs mieux si on leur donnait le numéro du formulaire à remplir et le numéro du cours.

Réd : Tu ne penses pas que ce sont des détails inutiles, tout ça ?

Cont : Mais ce sont des détails importants. Notre rôle ce n'est pas de diluer ou de filtrer l'information. C'est de la donner. Les gens prendront ce qui les intéresse. On pourrait même compléter l'information dans le titre. Ca donnerait ceci : « Intégration des adultes ayant charge d'enfants au cours 108.5 ».

Tiré d'une vidéo réalisée par la direction des Communications du ministère de l'Éducation. Décembre 1983.

Il est essentiel d'obtenir l'adhésion du détenteur du contenu au texte. Si après quelques expériences vous vous rendez compte que celui-ci fait partie de ces gens qui s'ingénient à changer la place des virgules, il faut éviter de vérifier le texte avec lui. Quoi qu'il en soit, il faut obtenir cette approbation, car il arrive, lorsqu'une information inexacte est diffusée, que le détenteur du contenu affirme ne pas avoir vu la version définitive du communiqué. Il faut qu'il signe sur la copie même. Ceci l'oblige également à regarder le communiqué de façon très attentive, car il en autorise ainsi la diffusion tel que rédigé.

Mais il ne faut jamais oublier qu'il est nécessaire d'entretenir au sein de l'organisation des liens étroits avec les directeurs de chaque département. Et ceci pour deux raisons : la première, c'est qu'il sera plus facile de les convaincre de collaborer avec le communicateur s'ils ont confiance en sa façon de faire. Et la confiance, ça se cultive et ça se gagne à l'intérieur d'une organisation. La seconde, c'est qu'il faut éviter les blocages qui vont faire en sorte que certaines unités ne voudront plus fournir l'information pertinente à la direction des communications. Pour un communicateur, la partie la plus difficile n'est pas toujours de convaincre les médias de publier l'information, mais de persuader son entreprise de la laisser sortir ou de ne pas la diffuser, le cas échéant. Ce qui veut dire qu'en certaines occasions, il vaut mieux diffuser un communiqué avec ses lacunes que de se faire un ennemi dans l'entreprise.

Cette étape de l'approbation est essentielle. Il ne faut jamais présumer qu'expédier un communiqué n'est pas grave et qu'il ne peut pas y avoir de conséquences tragiques pour l'entreprise. Il faut, au contraire, toujours garder présent à l'esprit qu'un communiqué est un avis officiel.

Dans certaines entreprises, l'attaché de presse ou le bureau du président souhaite approuver les communiqués avant leur expédition. Il faut s'assurer que cette procédure est suivie. La haute direction d'une organisation a le droit de contrôler les déclarations officielles qui émanent de ses services.

Il faut toutefois préciser que malheureusement, dans de nombreuses circonstances, cette pratique normale est «corrompue» par l'attitude de certains attachés de presse qui abusent du pouvoir qui leur est confié. Ils accaparent le travail intellectuel des autres et triturent les textes qui leur sont remis sans vérifier auprès des détenteurs de contenu le bien-fondé des changements apportés.

Dans les grandes entreprises, il arrive que certains communiqués soient de nature politique et d'autres de nature administrative. Les premiers sont préparés par le bureau du président (ou le cabinet du ministre) ; les seconds sont réalisés par les services de communication. En fait, dans toutes les entreprises bien structurées, la responsabilité d'autoriser la diffusion des communiqués de nature administrative appartient au service des communications. Et c'est à leur directeur d'obtenir les approbations nécessaires selon les circonstances.

Les approbations peuvent donc se faire à différents niveaux et il faut s'assurer qu'elles soient obtenues à la fois de la source, du service des communications et de la haute administration si elles sont toutes exigées.

10. La diffusion du communiqué

L'efficacité d'un communiqué ne se limite pas à sa confection. Une distribution judicieuse de la nouvelle auprès des médias d'information entraînera un impact certain. À l'inverse, une mauvaise diffusion peut annuler les efforts consacrés à la réalisation du communiqué. Le communicateur devra donc identifier les médias et les journalistes qui peuvent le mieux rejoindre les publics visés par le sujet du communiqué.

◆ Une politique de diffusion

Pour être en mesure d'assurer une distribution adéquate, chaque entreprise doit avoir une politique de diffusion de l'information et des communiqués. Cette politique désigne clairement le seul service autorisé à émettre des communiqués. Elle doit avoir fait l'objet d'une acceptation officielle par la haute direction. Et c'est habituellement au responsable des communications ou des relations publiques que revient le rôle de diffuseur de l'information auprès des médias, car il est le plus informé sur les médias, leurs habitudes de travail et les journalistes qui y œuvrent (exemple 42). Les directives pour obtenir l'autorisation de diffuser des communiqués sont par ailleurs loin d'être uniformes d'une organisation à l'autre.

Cette politique doit faire l'objet d'une diffusion élargie au sein de l'entreprise, avec une procédure pour s'assurer que les nouveaux employés en seront saisis au fur et à mesure de leur entrée en fonction.

◆ Une liste de presse

Avant tout, il est essentiel et primordial pour le responsable des communications de dresser une liste de presse complète et récente des journalistes et des médias qui couvrent correctement les publics à toucher.

Selon la nature de l'information, il dirige le communiqué vers la personne la plus susceptible de s'y intéresser. Il faut viser juste et le communicateur qui a de bons contacts verra sa tâche simplifiée d'autant. Une nouvelle d'ordre économique sera acheminée au chroniqueur économique, une nouvelle d'ordre culturel, au responsable des pages culturelles, et ainsi de suite. Il faut donc connaître les rubriques spécialisées de chaque média sans jamais oublier d'expédier aussi une copie du communiqué au chef de pupitre ou de nouvelle. L'objectif est de rejoindre le plus grand nombre possible de journalistes susceptibles de s'intéresser à la nouvelle. On néglige souvent les médias communautaires, qui sont une source de diffusion intéressante auprès d'une certaine clientèle.

Selon le plan de diffusion retenu, un communiqué parviendra aux médias d'information locaux, régionaux, provinciaux et même, quelquefois, à des médias spécialisés. Il est très important de ne pas privilégier un média, soit électronique ou écrit, au détriment d'autres de même nature. Il est également préférable de faire parvenir le communiqué aux médias au même moment, d'où l'utilité d'avoir recours à une agence de diffusion.

Autant qu'il est possible de le faire, on personnalisera ses envois dans les grandes organisations pour éviter que le message erre d'un bureau à l'autre. Dans des entreprises comme Radio-Canada ou *La Presse* où travaillent des centaines de personnes, il vaut mieux adresser son communiqué à une personne en particulier pour qu'elle le reçoive directement.

Dans des capitales comme Ottawa et Québec, on étudiera la pertinence d'envoyer les communiqués à la Galerie de la presse

Exemple 42

Règle de gestion

RÈGLE RÉGISSANT LES
COMMUNICATIONS DU
MINISTÈRE DE L'ÉDUCATION
AVEC DIFFÉRENTS
INTERLOCUTEURS

LES RELATIONS LES MÉDIAS
une responsabilité partagée

Gouvernement du Québec
Ministère
de l'Éducation

(voir suite en annexe page 171)

parlementaire. Tout comme on gardera présent à l'esprit que dans chaque ville, certains chroniqueurs spécialisés (presse judiciaire, presse
municipale) couvrent des activités qui peuvent recouper vos intérêts.

Le Club de presse Blitz, installé à Montréal, *Le répertoire des médias
d'information du Québec* de l'organisme «Québec dans le Monde», à
Québec, Le *Bowdens Media Directory*, à Toronto, présentent chacun un
intéressant répertoire des médias du Québec dans lequel on retrouve,
pour chaque média, différentes informations sur le média lui-même et,
pour Blitz et Bowdens, des renseignements sur ses principaux responsables de rubriques. Le répertoire *Canadian Rates and Data* compile, en
plus des principaux médias (journaux, hebdos, radios et télévision),
toutes les revues adressées au grand public ou à un public spécialisé.

◆ Le moment de l'expédition

Déterminer le moment de l'expédition d'un communiqué est aussi
important. On commence par surveiller les grandes activités qui se
déroulent le jour projeté pour émettre la nouvelle. Ainsi, on apprend
avec l'expérience qu'il ne faut pas tenir d'activités les soirs où il y a des
matches sportifs importants, car trop de gens les suivent. On s'assure
toujours qu'aucun autre événement ne risque d'attirer l'attention des
médias la journée de la diffusion. Il y a tant d'imprévus sur le plan de
l'actualité que lorsque l'on peut éviter d'entrer en compétition avec
d'autres informations intéressantes, il faut le faire. Rappelons qu'une
information n'est jamais importante en soi, mais toujours en fonction de
l'actualité qui l'entoure.

Les heures de tombée (bouclage) sont aussi à surveiller. L'heure de
tombée est celle où le média commence le processus d'édition de ses
informations et bloque l'entrée de nouvelles pour cette édition. Les
hebdomadaires ont un jour de tombée précis. Et certains bulletins de
radio télévision se bouclent à des heures spécifiques. Tous les quotidiens
d'une même ville n'ont pas la même heure de tombée. Et certaines
revues ont des jours de tombée qui précèdent de plusieurs semaines
leur date de parution.

Il est bon aussi de connaître les jours de congé de certains chroniqueurs, les journées et les périodes de l'année plus ou moins

stratégiques pour la diffusion de votre information. Pendant les vacances d'été, par exemple, on n'organise pas de collectes de fonds importantes. Il faut aussi éviter d'en organiser une en même temps que celles des grandes fondations caritatives dont il est possible d'obtenir les dates de collecte à l'avance.

En outre, si l'on veut que l'information paraisse le samedi dans les médias écrits, il faut savoir que le contenu des cahiers du samedi est réalisé pendant la semaine et non le vendredi. Il est donc préférable que l'information arrive tôt dans le média. Mais il n'en demeure pas moins que le communicateur n'a aucun contrôle sur le moment de diffusion de sa nouvelle. Il peut cependant arriver que les contacts qu'un communicateur a développés dans les médias facilitent la diffusion d'une nouvelle à un moment précis plutôt qu'à un autre.

Le désir de ne pas rater l'heure de tombée a donné lieu à des situations parfois inquiétantes. Le médecin de Georges V, pour alléger les souffrances du roi et avoir la certitude de rejoindre les journaux du matin, lui a administré une dose fatale comme nous le rappelle l'article qui suit (exemple 43).

[...] the biographer of Lord Dawson, who was the King's doctor, disclosed that the monarch was actually put to death by lethal injections of morphine and cocaine, administered as he lay dying at the royal residence of Sandringham. Dawson's notes say the King's death was induced not only to ease his pain but to enable the news to make the morning papers 'rather than the less appropriate evening journals' (*Time*, 1986).

◆ Une nouvelle défraîchie

L'acheminement du communiqué doit s'effectuer de la façon la plus rapide possible. L'information est une denrée périssable et tout retard peut entraîner des pertes d'efficacité. Il est pratiquement inutile d'expédier un communiqué au lendemain d'un événement, par exemple. La nouvelle est déjà dépassée.

Un communiqué est rarement publié par les médias quotidiens plusieurs jours après son expédition, car il en arrive de nouveaux continuellement. Et lorsqu'un média a publié la nouvelle, elle devient moins importante pour les autres médias qui ne reprendront pas, règle

Exemple 43

12   LA PRESSE, MONTRÉAL, VENDREDI 28 NOVEMBRE 1986

Le médecin du roi a hâté son décès pour faire la une du *Times*

\NDRES

Les terroristes qui répandent la ort quelques minutes avant le éjournal semblent avoir eu un écurseur: le médecin du roi :orge V qui, selon un historien itannique, aurait hâté la mort souverain, il y a 50 ans, en lui sant une injection de morphi- . Il voulait s'assurer que l'an- nce du décès de son illustre pa- nt serait publiée dans les jour- ux du matin.

Un peu d'histoire: George V, nd-père de la reine Elizabeth mourut dans la nuit du 20 jan- ir 1936, des suites d'une affec- n pulmonaire chronique et ne défaillance cardiaque.

Selon Francis Watson, cité par chaîne de télévision privée \V, le médecin, Lord Dawson de nn, administra au souverain e injection de morphine et de caïne, 40 minutes environ int le décès.

Watson, citant les archives du decin, aujourd'hui conservées château de Windsor, explique e la reine Mary et le prince de lles (héritiers du Trône) ient demandé au médecin bréger les souffrances du mori- nd.

Mais surtout, ces archives con- nnent un passage assez signifi- if: « La détermination de ure de la mort du souverain était un autre aspect: on dési- que l'annonce de la mort soit

Le médecin, Lord Dawson de Penn, à gauche, et son patient, le roi George V   PHOTO REUTER

publiée dans les journaux du ma- tin plutôt que dans ceux du soir ».

Le prestigieux *Times*, journal du matin, devait, aux yeux de l'es- tablishement, être le premier à publier dans ses pages une nou- velle de cette importance.

Le soir du 20 janvier 1936, alors que George V était au plus mal et qu'un conseil de famille s'était réuni dans sa chambre, la radio diffusa un bulletin officiel,

rédigé par Lord Dawson: « L'exis- tence du roi s'achemine tranquil- lement vers son terme ».

Les notes manuscrites du méde- cin, vérifiées par des archivistes du château de Windsor, contien- draient également ce passage:

« Vers 23h environ, il devenait évident que la dernière phase pourrait s'étaler sur plusieurs heures (...) peu compatibles avec une dignité et une sérénité ample- ment méritées, et qui récla- maient une fin brève.

« Ces heures d'attente, quand la vie a déjà disparu et que l'on attend une fin purement mécani- que, ne faisaient qu'épuiser les té- moins, tout en engendrant une tension les éloignant de la com- munion de pensée et de la prière.

« Je décidai dès lors de détermi- ner la fin et de procéder à la der- nière injection », préciseraient les notes manuscrites. George V mourut cinq minutes avant mi- nuit et la nouvelle fut publiée dans les journaux du matin.

Toujours d'après ces notes, « les journaux savaient que la fin sous presse et je demandai à ma femme de prévenir le *Times*, pour retarder la publication ».

Michel Shea, secrétaire de presse de la reine Elizabeth II, a réagi par un superbe « no com- ment »: « Ces événements ont eu lieu il y a fort longtemps et les protagonistes sont morts depuis longtemps », dit-il.

générale, des informations déjà parues dans les médias concurrents. La durée de vie d'un communiqué est donc très brève. Morton (1988) a toutefois démontré que si le sujet s'y prête et n'est pas complètement devenu désuet dans le temps, sa durée de vie peut facilement atteindre de 15 à 20 jours et dans un cas, il a été publié 87 jours après sa diffusion.

Autant que possible, le communiqué est livré à un moment tel qu'il peut être publié immédiatement. Nous l'avons signalé plus haut, les journalistes respectent ordinairement le délai imposé ou l'embargo, s'il y a lieu, mais ils peuvent souffrir de cette restriction. «Pendant qu'ils gardent la nouvelle sous le boisseau, le reporter d'un journal concurrent peut fort bien la découvrir par sa propre initiative et faire bénéficier son journal d'une primeur...» (Dumont-Frénette, 1971, p. 341).

◆ La surinformation

Mais ce n'est pas une raison pour prendre la mauvaise habitude d'envoyer de façon continue des communiqués aux médias en espérant que sur le lot, l'un ou l'autre passera. Les journalistes critiquent ces organisations qui expédient trop fréquemment des communiqués. On trouvera ci-contre quelques commentaires de journalistes sur les communiqués (exemples 44, 45, 46).

Dès 1985, le service d'information de la Confédération des syndicats nationaux (1987, p. 7) affirmait dans un document interne :

> Il n'est pas sûr que le fait d'inonder les salles de rédaction de communiqués soit la meilleure façon de s'assurer une présence dans les médias.

◆ Une diffusion *ad hoc*

De plus, on prévoira une diffusion *ad hoc* pour chaque communiqué, évitant ainsi de tomber dans la routine de l'envoi systématique aux chroniqueurs spécialisés et aux chefs de pupitre. Il est bon de chercher de nouvelles sources de diffusion. De la sorte, un communiqué qui annonce le lancement d'un nouveau produit alimentaire peut faire l'objet d'une information dans les pages d'alimentation. Mais il peut aussi être diffusé dans les émissions sur l'économie, par exemple.

Exemple 44

LA PRESSE, 2 mars, 1982, A3

Guy Pinard

Vérifiez vos listes de courrier pour économiser!

■ Lors du sondage-maison réalisé sur la ponctualité des Postes et dont je vous ai récemment parlé dans cette chronique, j'ai pu constater que les entreprises paragouvernementales et les ministères n'étaient pas les seuls à multiplier les exemplaires du même communiqué de presse adressés à la même entreprise. On peut dire la même chose de certaines entreprises privées, ce qui ne manque pas d'étonner puisque d'ordinaire ces dernières sont plus sensibles aux économies qu'elles pourraient réaliser.

J'ai en effet constaté que dans un journal comme LA PRESSE, le même communiqué est envoyé à plusieurs personnes (souvent plus d'une dizaine!), soit de la même division, soit dans plusieurs divisions différentes. C'est déjà du gaspillage puisque le contenu du communiqué ne sera pas utilisé plus souvent parce qu'il est envoyé à plusieurs personnes; il se retrouvera là où il doit se retrouver si le journal juge bon de le publier et il suffirait de limiter l'envoi aux journalistes vraiment impliqués dans le dossier concerné.

Mais il y a pire comme gaspillage, et c'est l'envoi d'un exemplaire du communiqué à une personne qui n'est plus à l'emploi du journal, voire qui est décédée depuis des années dans certains cas.

Devant cette constatation, il ne reste plus qu'à suggérer aux administrateurs d'entreprises (c'est probablement peine perdue dans le cas des entreprises paragouvernementales et des ministères) de revoir périodiquement leurs listes de mise à la poste, car je suis convaincu que dans plusieurs cas, il serait possible de la réduire de moitié sans priver l'entreprise, le ministère ou le mouvement des objectifs visés par l'envoi de ces communiqués. À raison de 30 cents par lettre, vous aurez rapidement comblé le salaire payé à la personne vouée à la révision périodique des listes. A vous de décider si le jeu en vaut la chandelle.

Exemple 45

la presse   1982 JAN. 2 1

L'orgie de communiqués

Je faisais état récemment du gaspillage de papier collant qu'on pouvait constater dans certains ministères québécois. Or, une consoeur de la salle en a profité pour attirer l'attention sur cette autre forme de gaspillage que représente l'orgie de communiqués de presse émis par les différents ministères et souvent envoyés à une dizaine de journalistes du même journal. Ces copies de communiqués sont d'autant plus inutiles que l'original est acheminé vers les médias d'information le jour même de leur émission par le biais de l'agence Telbec. Toutes les copies envoyées par la poste prennent donc le chemin de la poubelle, d'où gaspillage de timbres, d'enveloppes, de papier et de temps (et on sait que le «temps» coûte cher au gouvernement).

Cette forme de gaspillage est encore plus criante quand le communiqué de presse émis pour annoncer une conférence de presse d'un ministre nous parvient sept jours après ladite conférence...et la société Postes Canada n'est pas toujours la seule coupable. Un exemple: le 11 janvier, le ministère de l'Education émettait un communiqué pour annoncer une conférence de presse du ministre Camille Laurin, prévue pour le 12. Or, le Service du courrier et des messageries du gouvernement du Québec n'a mis ledit communiqué à la poste que le 14 (comme en fait foi l'estampille sur l'enveloppe), soit deux jours après la conférence de presse!

Exemple 46

Le Devoir, samedi 16 juillet 1988   A12

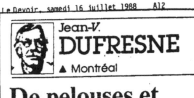

Jean-V. DUFRESNE
▲ Montréal

De pelouses et de flamands roses

LA plaie des salles de rédaction, bien sûr, après l'ordinateur qui tombe en panne, ce sont les communiqués de presse. Sans eux, j'en conviens, on aurait parfois du mal à boucher les trous qui, entre deux encarts publicitaires, ne méritent toujours qu'on y loge un fait divers. Mais des communiqués nous arrivent à la centaine, quotidiennement, pour nous annoncer, nous rappeler tous les événements à venir qui sont le lot de l'agitation humaine. Et des événements passés aussi, plus souvent qu'on pense, le service postal canadien étant ce qu'il est.

Le problème, avec les communiqués, c'est qu'ils sont généralement d'un mortel ennui, toujours écrits de la même manière, mal rédigés la plupart du temps, parfois essayant désespérément de faire drôle, pour attirer l'attention désabusée du chroniqueur. Tout cela, évidemment, est devenu une vaste industrie, un véritable sous-produit de la fabrication de la pâte à papier.

C'est que les sociétés de relations publiques qui nous les destinent rivalisent d'ingéniosité pour faire passer leur salade. Dieu ne défend pas, mais elles sont nombreuses et l'espace est rare. Nous recevons même parfois des communiqués dans une enveloppe bourrée de confettis, pour créer un effet de surprise, mais les petites pastilles de papier ont la mauvaise habitude d'aller se loger entre les touches des ordinateurs. Ces astuces trouvent évidemment le chemin du panier.

Certains sont de véritables exercices *underground* de typographie à peu près illisible, pour faire original. D'autres enfin semblent chercher davantage à faire la publicité du relationniste qui les envoie que de l'événement qu'il est censé faire connaître.

Les plus désespérants nous viennent des agents de promotion culturelle. Car il n'est pas un apprenti-artiste aujourd'hui qui n'ait confié sa carrière à ces impresarios, parfois aussi apprentis que leur poulain, farouchement convaincus de tenir là l'étoile du futur qui va faire pâlir toutes les galaxies du *showbizz* québécois. À ceux-là, on a envie de rappeler le conseil de Colette: écrivez d'abord, puis ensuite enlevez les adjectifs.

Les plus détestables sont les organisateurs de festivals. Pour créer le suspense, et occuper des semaines durant la vedette des pages culturelles, ils vous annoncent leur programmation par étapes, en minces tranches de salami, jusqu'à la toute veille du grand événement. À telle enseigne que lorsqu'arrive enfin l'événement si souvent promis, on le croyait passé depuis un mois.

Et les meilleurs communiqués ? Ma foi, j'en ai un sous les yeux, et j'en fais état pour rendre hommage à son rédacteur, Jean-Yves Benoit, dont j'ignorais le nom jusqu'à hier, comme l'existence de l'initiative qu'il est chargé de faire connaître au grand public.

M. Benoit m'apprend que le *Centre de la Montagne*, une société sans but lucratif, vouée à l'animation du parc du Mont-Royal, créée en 1981 par des finissants de l'Université de Montréal, propose un rendez-vous, cet après-midi et demain, de 13 h à 17 h, au Lac des Castors, à ceux qu'intéressent l'histoire et l'entretien des pelouses. Rien d'extraordinaire jusqu'ici, encore que l'affaire tombe bien, avec la sécheresse et les pénuries d'eau qu'on a connues depuis le printemps.

Je ne sais si ce jeune homme est un « professionnel ». S'il s'agit d'un amateur, je lui propose de le demeurer. D'abord parce qu'il intitule son communiqué : *La pelouse au peigne fin*, ce que je trouve assez joli. Ensuite parce qu'il nous rappelle une incontournable banalité, à savoir qu'après le baseball et la météo, la pelouse est en fait le sujet le plus populaire de la saison estivale, tout en évitant d'écrire que, non, Michèle Richard n'est pas une tondeuse à gazon.

M. Benoit ajoute que la pelouse n'est jamais assez verte, surtout si on regarde celle du voisin, ce qui démontre chez le rédacteur un goût qui l'honore pour les fables de La Fontaine. Il déplore qu'il y a trop de pissenlits, « surtout si on ne songe pas à en tirer du vin. »

Mais que sait-on en vérité de la pelouse ? écrit-il. Et là, il pose magnifiquement une question existentielle qui confère au document toute sa splendeur : « *La pelouse existait-elle avant les flamands roses ?* »

Et voilà l'histoire d'un petit communiqué qui, contrairement aux autres, ne prendra pas le chemin de la corbeille à papier, et pour lequel M. Benoit devrait recevoir une mention spéciale au prochain concours d'excellence de la Société des relations publiques du Canada, et quelques mètres de tourbe bien mérités pour enjoliver son arrière cour.

Mais attendez la fin. M. Benoit termine, sur un ton appliqué, en nous prévenant que le rendez-vous sera annulé... en cas de pluie. Alors, là, les pelouses de nos banlieues déshydratées ne lui le pardonneront jamais.

Pour complément d'information, rejoindre M. Benoit à (514) 844-4928.

◆ Une information sans intérêt

Attention au risque d'inonder les médias régionaux d'informations qui ne leur sont d'aucun intérêt ! Une étude réalisée en 1979 démontrait que le gouvernement du Québec publiait près de 80 communiqués par semaine et que les hebdomadaires n'en diffusaient qu'un seul. Il devenait donc superflu d'expédier des communiqués d'envergure nationale dans les régions davantage préoccupées par la couverture de leur milieu immédiat de vie (Déry, 1979).

Par contre, il est possible de régionaliser un communiqué national. À titre d'exemple, on peut parler du chômage au Québec. Et comme les chiffres sont également disponibles pour chacune des régions, on peut présenter autant de communiqués qu'il y a de régions en ne livrant que les données qui leur sont spécifiques.

Les agences de diffusion

Il existe au Québec deux agences de diffusion électronique d'information d'ordre général bien implantées : il s'agit de Telbec et de CNW (Canada News Wire). À celles-là s'ajoutent deux agences canadiennes spécialisées dans le domaine des affaires, de la finance et de la bourse : Canadian Corporate News et ISDN Wire Service.

Elles peuvent rejoindre toutes les régions de la province de Québec et tous les médias. À l'inverse d'une agence de presse qui possède ses propres journalistes, les agences de diffusion ne produisent aucune information, mais elles louent l'utilisation de leur réseau.

Le principe de leur fonctionnement est le suivant : toute entreprise, publique ou privée, grande ou petite, peut avoir recours à ces agences. L'entreprise paie un abonnement annuel à l'agence pour utiliser ses services et paie pour chaque expédition de ses messages. Des arrangements peuvent être faits pour les petites entreprises qui n'envoient qu'un ou deux communiqués par année.

De leur côté, les agences expédient les messages de façon électronique dans les salles de rédaction et de nouvelles des médias. C'est donc l'expéditeur qui paie la diffusion de ses messages qui sont ensuite fournis gratuitement aux médias.

Le communiqué peut être envoyé directement par télécopieur ou par courrier électronique au centre de diffusion de l'agence qui, en principe, le retransmettra dans l'heure suivante.

C'est la méthode la plus simple pour expédier un communiqué au plus grand nombre possible de médias, au coût le plus bas et avec le plus de rapidité. Du fait que ce mode d'expédition ne demande ni manipulation, ni photocopie, ni enveloppe, ni encartage, ni timbre, car on expédie une seule copie qui est multipliée électroniquement, le coût d'utilisation est relativement bas.

Il n'y a donc pas lieu d'hésiter à y avoir recours pour obtenir une couverture régionale ou nationale à un prix intéressant. Pour une couverture locale, il n'est pas recommandé, car il est facile et peu coûteux de rejoindre directement les médias locaux.

L'expéditeur peut choisir de diffuser sa nouvelle dans toute ou dans une seule région du Québec. Il peut privilégier un type de média, par exemple, les médias écrits francophones, les hebdomadaires ou les médias ethniques. Cette précision s'exprimera sur chaque communiqué par l'inscription du code de diffusion approprié. Les exemples 10 et 47 illustre comment se présente un communiqué diffusé par une agence dans une salle de rédaction.

Certaines entreprises qui ont un abonnement annuel avec l'une ou l'autre de ces agences acceptent à l'occasion d'expédier les messages des groupes populaires ou des groupes qui touchent leur secteur d'activité.

Les médias reçoivent les communiqués directement sur leur écran. Dans les salles de rédaction équipées en réseau, chaque journaliste peut donc avoir accès, sur son écran, à toute information diffusée par ces agences. Il est toutefois utile de préciser à quel chroniqueur est destiné le communiqué. S'il peut intéresser deux chroniqueurs différents ou deux rubriques distinctes, on le précise sur le communiqué.

Selon les besoins plus spécifiques des entreprises, l'expédition peut aussi se faire par télécopieur pour les hebdomadaires, par exemple, ou par la poste si le volume du texte le justifie.

L'agence Telbec prépare de courts bulletins radio et télévision deux fois par jour à partir des communiqués reçus. CNW et Telbec peuvent diffuser des photos et des extraits sonores.

Exemple 47

C/VW *Canada NewsWire* 🍁📰

Give us your message. We'll give you the world.
Donnez-nous votre message. Nous vous donnerons le monde.

connect to 🔍 IBM

A l'attention du directeur de l'information:

IBM CANADA LTEE - L'ECOLE DE DEMAIN (AT) NOTRE PORTEE

MONTRÉAL, le 24 mars /CNW/ - C'est demain que s'ouvrira, sous la présidence d'honneur de Mme Suzanne Rochon, le 15e colloque de l'Association québécoise des utilisateurs de l'ordinateur au primaire et au secondaire (AQUOPS). Ce colloque, qui réunira plus de 1500 éducateurs, aura lieu à l'Hôtel des Seigneurs de Saint-Hyacinthe du 25 au 27 mars prochain sous le thème l'école de demain (at) notre portée. Les participants pourront constater le chemin parcouru au fil des quinze dernières années et s'illustrer les actions à poser pour arriver l'école au troisième millénaire.

Au 18 mars dernier, les organisateurs dénombraient plus de 1551 préinscriptions, ce qui en fait le plus gros colloque de l'AQUOPS à ce jour. Fait remarquable, or, compte 186 membres de direction d'école parmi les inscrits. Au fil des années, les colloques de l'AQUOPS se sont mérités la faveur du milieu de l'éducation parce qu'ils s'adressent, d'abord et avant tout, aux pratiques pédagogiques d'enseignants dynamiques qui cherchent constamment à améliorer la qualité de leur enseignement. Cet intérêt accru n'est pas étranger, non plus, à l'investissement de 22) M $ du plan d'intégration des Nouvelles technologies de l'information et des communications (NTIC) à l'école, de la ministre de l'Éducation, Mme Pauline Marois.

Nous consacrerons la journée du mardi 25 mars, au perfectionnement, et ce, sous 14 thèmes différents. Mercredi et jeudi les 26 et 27, les ateliers et conférences toucheront tant les aspects théoriques que les aspects pratiques de l'intégration des NTIC à l'enseignement et à l'apprentissage.

L'AQUOPS offre, en parallèle, quatre mini-stages de formation d'une durée de trois jours qui permettront d'approfondir un sujet et de rassembler des personnes participant un intérêt commun débouchant sur la création de groupes d'entraide.

Autre expérience novatrice, la diffusion en direct sur Internet de la conférence d'ouverture de Mme Thérèse Laferrière, professeure à l'Université Laval, qui portera sur l'impact des NTIC sur l'apprentissage. Pour y accéder, ainsi que pour accéder à la diffusion différée ensuite, on devra consulter le site Internet de l'AQUOPS à www.aquops-qc.ca afin d'y trouver tous les renseignements utiles pour se brancher au site réflecteur en mode CU-SEE-ME.

Cette année, La Fouine, le journal quotidien du colloque sera diffusé en version papier aux congressistes et en version électronique sur le site de l'AQUOPS.

C'est sous les apprentis-journalistes de l'École secondaire Curé-Antoine-Labelle, de la Commission scolaire des Mille-Iles qui en assumeront la rédaction à partir du Centre de presse Dell.

Parmi les nombreuses activités à caractère social, mentionnons l'animation du déjeuner-conférence du mardi qui fera vivre aux participants la petite histoire de la musique à l'école en compagnie de M. Yves Lamay et de ses élèves ainsi que la soirée rock'n roll du mercredi soir.

L'AQUOPS compte sur l'appui de nombreux partenaires et commanditaires qui offrent leurs produits et services tout en accordant le public au salon des exposants. On pourra y vivre l'expérience Internet au café électronique de Videotron.

Pour mieux comprendre ce qui se passe dans nos écoles où il y a

---

intégration des NTIC et pour mieux voir voir poindre le renouvellement à venir, le 15e colloque de l'AQUOPS est un endroit de ressourcement indispensable.

-30-

Renseignements: Gilles Therrien, AQUOPS, therrien(at)videotron.net, Lundi: (514) 287-9004, Mardi à jeudi: 1 (514) 774-3810 poste 136

IBM CANADA LTEE has 41 releases in this database.

Profile **Portfolio Email**
from Canada NewsWire

Register NOW!

TODAY'S RELEASES	DAY	ORGANIZATIONS	STOCK SYMBOL
CATEGORY	INDUSTRY	SUBJECT	72/WORD

C/VW　　Email Canada NewsWire
　　　　　Email Web Master

04/29/97 21:42:06

Chez CNW, on peut faire l'expédition de communiqué vidéo par satellite. La firme réserve un temps de diffusion et avise les médias électroniques par son fil de presse de la disponibilité de ces communiqués vidéo à une plage horaire donnée. Les télévisions québécoises n'ont pas encore développé le réflexe d'utiliser ce type de communiqué, contrairement à ce qui se passe au Canada et aux États-Unis (Greenberg, 1994).

Ces agences disposent également d'un réseau de diffusion à travers le Canada et le monde. Elles offrent en plus leurs services sur Internet : Telbec (http://planete.qc.ca) diffuse, en effet, les bulletins radio télé. De son côté, CNW (http://www.newswire.ca) diffuse les communiqués en entier et ils peuvent être consultés pendant toute une année. Ce sont là des services qui sont appelés à se développer.

Les deux agences offrent un service de traduction de textes en plusieurs langues. En outre, elles peuvent diffuser des photos en ayant recours au service Canapress de la Presse Canadienne.

La poste

Les services postaux sont parfois lents et la livraison peut accuser certains retards. On compte quelquefois plusieurs jours entre la date inscrite sur le communiqué et le moment où il atteint les régions autres que la région émettrice.

Lorsqu'on expédie un communiqué par la poste, mieux vaut s'assurer que l'information ne sera pas périmée au moment de son arrivée dans les salles de rédaction. Avoir recours à la poste présume que l'on a plusieurs jours devant soi avant la désuétude de la nouvelle transmise.

Ne gaspillez pas d'énergie à expédier par la poste un communiqué qui arrivera deux ou trois jours après l'événement mentionné. À moins, bien sûr, de s'adresser à des médias périodiques pour qui la date de tombée est plus éloignée ; ou de viser des émissions de radio ou de télévision qui ne sont pas encore produites.

Toutefois, la poste est un moyen de communication plus personnalisé. On peut ainsi rejoindre nommément chaque journaliste. Et c'est un choix logique si le nombre d'expéditions est plutôt restreint.

Lorsque l'on a recours à la poste, il est sage de noter le nom de tous les médias rejoints. En effet, il est toujours malaisé de téléphoner à un média pour savoir pourquoi le communiqué n'a pas été diffusé alors qu'il ne leur a jamais été envoyé. Or, dans le feu de l'action, il est possible qu'on oublie certains journalistes ou médias, tout particulièrement lorsque l'on n'a pas de liste de base et qu'on dresse la liste de presse lors de chaque événement.

De plus, il arrive qu'en certaines occasions, on veuille exprimer à un média sa déception devant le peu d'attention qu'il porte à l'entreprise. Il est bon alors de pouvoir préciser le nombre de communiqués qui lui ont été acheminés pendant une période donnée.

Il est par ailleurs recommandé d'envoyer le communiqué à certains journalistes ou recherchistes qui pourraient ne pas le recevoir des agences de diffusion. Dans des grandes entreprises d'information comme *La Presse*, *Le Soleil* ou Radio-Canada, une information peut intéresser plusieurs personnes. La diffusion par agence peut passer inaperçue pour un chroniqueur en particulier. Le courrier permet donc de compléter de façon plus sélective la liste des récipiendaires du communiqué.

Certains journalistes reprochent parfois aux entreprises d'expédier une copie du communiqué par l'agence de diffusion et une autre copie par la poste. Il ne faut pas interrompre cette pratique, car c'est la seule façon, avec le courrier électronique personnalisé, de s'assurer que l'interlocuteur visé a bien reçu le texte.

Morton et Ramsey (1994b, p. 172) signalent que la poste conserve un énorme avantage sur les agences de diffusion ; c'est l'assurance que le communiqué arrive bien jusqu'au bureau de celui à qui il est destiné. Les communiqués distribués par une agence de diffusion, dans certaines salles de rédaction, peuvent rester dans l'ordinateur du journaliste s'il n'a pas le temps de consulter le fil de presse qui ne cesse de défiler. Par contre, tout le monde ouvre son courrier chaque jour...

Le téléphone

Lorsqu'il s'agit d'une brève nouvelle, il est possible de la transmettre aux médias par téléphone. Mais c'est une pratique que l'on ne doit utiliser que s'il y a peu de médias à rejoindre et que le message est court, par exemple, l'annonce d'un événement avec son thème, l'heure et l'endroit d'une convocation. Mais il est toujours préférable d'avoir recours à l'écrit.

Il arrive souvent qu'en région, un appel téléphonique au poste local de radio et à l'hebdomadaire suffise. Le journaliste ou le directeur de l'information vous dira si l'information reçue par téléphone suffit ou s'il désire avoir un texte écrit plus substantiel. Ces interlocuteurs savent quelle importance ils vont accorder à l'information et, de ce fait, peuvent épargner au communicateur la tâche d'écrire un texte qui ne sera pas utilisé. D'ailleurs, la plupart du temps, en région, les entreprises n'ont pas toujours les ressources pour écrire des textes et se contentent souvent d'une discussion au téléphone.

De toute façon, même si l'on utilise une agence de diffusion ou le courrier pour annoncer la tenue d'un événement, il faut penser à accompagner l'envoi du communiqué d'appels téléphoniques sélectifs, dans les 48 heures qui précèdent l'événement, sinon le communiqué risque de se perdre parmi un tas d'autres. Ces appels permettent, en outre, de pouvoir discuter avec les journalistes ou les directeurs de l'information de l'intérêt des renseignements. En effet, la nouvelle n'est pas toujours perçue à la première lecture avec toute son importance. Le rappel téléphonique permet donc de vérifier si l'information a bien été reçue et si elle a bien été comprise. Par ailleurs, en parlant aux recherchistes des émissions de radio et de télévision, il est aussi possible de les convaincre de proposer une entrevue sur le sujet qui nous intéresse dans le cadre de leur émission respective.

Il arrive que certains communicateurs téléphonent pour savoir si leur communiqué sera diffusé. Ces pressions subtiles doivent être jugées à la pièce. Il est bon de le faire à l'occasion si l'événement revêt une grande importance aux yeux du communicateur. Il lui permet ainsi d'exposer verbalement les arguments qui militent en faveur d'une diffusion du texte. Toutefois, il ne faut pas téléphoner systématiquement à chaque communiqué. Le communicateur pourrait y perdre sa crédibilité.

Clark (1986) dénonce cette pratique de certains relationnistes qui téléphonent pour savoir si le journaliste a reçu son communiqué. En principe, s'il était bien adressé, il l'a reçu. Et si le relationniste veut savoir s'il sera diffusé, le journaliste ne le saura qu'en toute fin du bouclage s'il lui reste de la place après les reportages des journalistes et des nouvelles des agences de presse. Le journaliste considère souvent ces téléphones comme des pressions indues et désobligeantes. Si des informations supplémentaires sont nécessaires, il saura bien retourner l'appel.

Une fois le communiqué expédié, le communicateur doit être facilement accessible par téléphone à mesure que la date de l'événement approche afin de répondre aux demandes des journalistes.

La conférence de presse

Le communiqué peut être remis directement aux journalistes lorsqu'ils se présentent pour couvrir une conférence de presse, un colloque ou une manifestation quelconque organisé par l'entreprise.

Mais même dans ces circonstances, le communiqué doit également être expédié par une agence de diffusion et par la poste pour rejoindre ceux qui n'ont pu assister à la manifestation.

Le main en main

Le main en main est utilisé surtout pour des communiqués émis en région. Il a le défaut de prendre beaucoup de temps, mais il permet au distributeur d'avoir un contact direct avec le récepteur pour s'assurer d'une parfaite compréhension du sujet traité et pour répondre immédiatement aux questions, s'il y a lieu.

On peut donc rencontrer des journalistes pour leur remettre en mains propres le texte du communiqué. Il faut cependant éviter de se présenter trop près des heures de tombée des médias visités.

Par ailleurs, un communicateur n'a pas toujours le temps à consacrer pour faire le tour des salles de rédaction, sauf dans des cas occasionnels ou des circonstances particulières. De plus, il risque souvent de ne rencontrer personne dans les salles de rédaction, car les journalistes visés sont en reportage. Il est toutefois intéressant lorsqu'une nouvelle est vraiment exceptionnelle d'en profiter pour se faire connaître auprès des journalistes.

L'agence Presse Canadienne

Il s'agit d'une agence qui couvre l'ensemble des événements du pays. Elle recueille des informations comme tout autre média et les redistribue à ses abonnés membres. Ainsi, plusieurs médias s'appuient sur cette agence pour la couverture de certains événements ou dossiers.

À la différence d'une agence de diffusion, l'agence Presse Canadienne sélectionne les événements qu'elle couvre, rédige les textes et les diffuse selon des règles journalistiques. C'est ainsi qu'elle peut accepter de rediffuser des communiqués qu'elle juge intéressants pour ses abonnés que sont les médias.

On comprend alors qu'il puisse être avantageux d'envoyer un communiqué à la Presse Canadienne qui peut le reprendre et le réexpédier dans les salles de rédaction. La nouvelle reçoit la sanction d'une agence de presse, donc d'une tierce partie, ce qui lui donne plus de chances d'être retenue.

Les nouvelles technologies

Le télécopieur fait désormais partie du paysage habituel des entreprises. Il est donc facile d'expédier le communiqué par télécopieur à chacun des journalistes visés. C'est une pratique qui se développe, car l'émetteur contrôle ainsi directement sa diffusion.

Le courrier électronique est une voie plus récente d'expédition des textes. Les journalistes reçoivent dorénavant directement sur leur ordinateur, à leur adresse personnelle, le texte des communiqués.

Lorsque l'on expédie un communiqué à un journaliste en particulier, sans l'envoyer en même temps au chef de pupitre ou de nouvelle, et que ce journaliste est absent ou que, pour une raison ou l'autre, il ne consulte pas son courrier électrique cette journée-là, l'entreprise a porté un coup d'épée dans l'eau.

D'autres modes de diffusion

Parmi les autres modes de diffusion, mentionnons l'autobus et les messageries privées. Ces moyens s'appliquent surtout dans des cas d'urgence. Si une entreprise doit faire parvenir rapidement un communiqué à un média à l'intérieur d'une ville, les messageries privées ou le taxi sont une façon rapide de diffusion. D'une grande ville à l'autre, on peut avoir recours au service Parbus de la compagnie Orléans.

Ces modes tombent toutefois en désuétude, car la presque totalité des entreprises peuvent désormais utiliser le télécopieur. Mais dans certaines circonstances, ces services peuvent être utiles. Ainsi, si le communiqué est accompagné d'une photo, il faut donc pouvoir expédier des originaux pour s'assurer de la qualité de la reproduction.

Dans la grande région de Montréal, Blitz 24 est une agence de messagerie personnalisée qui distribue les communiqués dans les divers médias, selon les parcours que lui dessine l'émetteur du communiqué.

Les médias non francophones

Il existe des médias anglophones et allophones au Québec. La majorité des entreprises ne rédigent leurs communiqués qu'en français et ne les expédient qu'aux médias francophones. Et si elles utilisent une agence de diffusion, les médias non francophones recevront le communiqué tel qu'il a été rédigé, soit en français.

Il peut être utile, en certaines occasions, de faire traduire les communiqués pour ces clientèles particulières lorsque le sujet est de nature à les intéresser.

Les autres destinataires

Au-delà des médias, d'autres clientèles peuvent être intéressées à recevoir les communiqués émis par une entreprise.

◆ L'interne

Il faut penser distribuer le communiqué aux différents partenaires à l'intérieur de l'entreprise, principalement aux décideurs. Le personnel d'une entreprise préfère toujours apprendre directement, plutôt que par la voie des médias, les informations qui concernent son milieu de travail. Mais qu'il s'agisse des autorités supérieures ou des services responsables du contenu, il est toujours plus sage de leur faire parvenir une copie du communiqué en même temps qu'il est expédié aux médias. Le lendemain risque d'être trop tard, car certains communiqués sont repris dans les médias la journée même de leur expédition.

◆ Les partenaires

Toute entreprise travaille en liaison étroite avec des partenaires privilégiés. Il peut s'agir d'organisations patronales ou ouvrières, de corporations, de regroupements spécialisés.

Ces partenaires apprécient recevoir les communiqués, car ils se sentent considérés par l'entreprise émettrice, ce qui permet à celle-ci d'entretenir des liens étroits avec ces collaborateurs éventuels.

De plus, ils peuvent réagir, s'il y a lieu, pour appuyer la démarche de l'entreprise.

◆ Les multiplicateurs

On peut aussi envoyer le communiqué à des entreprises diverses susceptibles d'être intéressées par le sujet ou de favoriser sa diffusion, soit dans leurs propres publications, soit par les déclarations qu'elles peuvent être amenées à faire.

Mais il n'est pas recommandé d'avoir de trop longues listes de diffusion même si beaucoup de personnes désirent s'y faire inscrire. Le principe à retenir, c'est d'envoyer les communiqués uniquement à ceux qui sont utiles à l'entreprise.

Les listes de presse

Pour éviter d'avoir à dresser des listes de presse chaque fois qu'on doit diffuser un communiqué, il est utile d'en préparer de différente nature et de les tenir à jour.

La liste de diffusion de chaque communiqué doit être établie par le responsable des communications, de concert avec la source. Souvent, elle comprend des médias, mais aussi des entreprises publiques et privées.

Dans ces listes, on retrouve :

— les quotidiens, les postes de radio et de télévision qui couvrent la zone géographique de l'entreprise ;

— les chroniqueurs spécialisés dans le secteur d'activité concerné ;

— les éditorialistes qui ont l'habitude de traiter du champ d'activité de l'entreprise. Il ne faut pas oublier que les éditorialistes, sans être spécialisés, couvrent certains secteurs qui leur sont plus familiers ;

— les recherchistes des émissions d'affaires publiques ou de divertissement qui peuvent couvrir le secteur d'activité concerné ;

— les partenaires auxquels il faut absolument expédier tout communiqué émis ;

— diverses personnes qui ont demandé à recevoir les communiqués et dont il faut très régulièrement requestionner l'inscription sur la liste.

Il est essentiel de remettre la liste de diffusion à jour à tous les trimestres, car il y a des changements fréquents dans les tâches qui sont attribuées aux journalistes dans chaque média.

Lorsqu'il y a une structure politique dans une organisation, il peut y avoir deux émetteurs de communiqués. Il faut alors s'assurer que l'un et l'autre s'expédient très tôt leurs communiqués respectifs et qu'ils en avertissent les personnes concernées dans l'entreprise. Il est toujours désagréable pour un communicateur de se voir demander par un journaliste des précisions sur un communiqué émis par son entreprise et dont il n'a jamais entendu parler.

Les remerciements

Le journaliste est un être humain sensible aux marques d'attention avons-nous précisé dans le premier chapitre. De ce fait, on peut se demander s'il est recommandé de remercier un journaliste d'avoir diffusé une nouvelle concernant votre entreprise.

Il faut être prudent à ce sujet et agir avec finesse. Si un média publie une nouvelle, c'est parce qu'elle est intéressante et non pour plaire à une entreprise. Le journaliste ne doit pas avoir l'impression d'avoir servi de relais et de faire-valoir aux activités de relations publiques de l'entreprise. Cela n'interdit cependant pas de lui témoigner votre appréciation du fait qu'il ait jugé bon de parler de votre entreprise.

En réalité, on ne remercie pas les médias d'avoir retenu un communiqué. Mais il ne faut pas oublier que tout geste qui facilite les bonnes relations entre un journaliste et un communicateur doit être cultivé. Et cela est vrai dans les deux sens.

Le classement

En cours d'année, il arrive, dans une entreprise, qu'on veuille se référer aux termes exacts utilisés dans la diffusion d'une nouvelle et parfois même, on peut se demander si une information particulière a été rendue publique.

Lorsque l'on sait que des communiqués sont préparés, mais qu'ils ne sont jamais expédiés, lorsque l'on réalise qu'un communiqué peut avoir subi plusieurs versions, il n'est pas étonnant de constater que la mémoire est susceptible de faire défaut.

La recherche d'un communiqué dans des dossiers éparpillés dans des classeurs ou déposés aux archives est fastidieuse. Comme un communiqué est un avis officiel d'une entreprise, il est sage de créer un dossier dans lequel on conserve une copie de tous les communiqués émis. La mémoire du discours officiel de l'entreprise reste ainsi facilement accessible.

Les entreprises qui dotent leurs communiqués d'un numéro séquentiel possèdent par la force des choses un cartable dans lequel est compilé chacun des communiqués émis, année après année.

11. L'évaluation

Le communiqué a-t-il été repris? En partie ou en entier? Par les médias écrits seulement et/ou par les médias électroniques? Quelle est l'ampleur de la couverture de presse? La réponse à ces questions permet d'évaluer le rendement de l'opération de presse entreprise et de mieux planifier les autres expéditions de communiqués.

Il est important de conserver dans un dossier les différentes coupures de la presse écrite et la transcription des nouvelles électroniques. Ceci permet de repérer les médias et les journalistes les plus réceptifs aux communiqués d'une entreprise ou ceux qui la couvrent le plus régulièrement. Si, au contraire, on s'aperçoit qu'un média donné n'utilise pas les communiqués expédiés, il appartiendra au communicateur de trouver un moyen pour acquérir la confiance des journalistes et de conquérir ce média.

Il existe des maisons spécialisées qui réalisent des revues de presse, certaines centrées uniquement sur la presse écrite comme le Centre de lecture des informations de presse (CLIP) et d'autres qui couvrent également la presse électronique comme Le Réseau Caisse, Chartier et Transcriptions Verbatim, qui sont les deux principales maisons qui font ce travail au Québec. Une entreprise peut demander une surveillance des médias pendant toute l'année ou pour un seul événement. Nous présentons ci-après des exemples (48 et 49) du travail de ces maisons spécialisées.

Il faut aussi savoir que même si le communiqué est publié, ce qui n'est pas certain, il ne sera pas nécessairement lu. On estime, en effet, qu'environ 20% des lecteurs d'un journal se souviennent d'un article spécifique (Marston, 1979, p. 141) et il n'est pas sûr que la clientèle visée s'y retrouve. C'est pourquoi il est important que le communiqué soit diffusé le plus largement possible pour le retrouver dans divers médias.

Morton (1986, p. 86) a réalisé une étude sur la façon dont les médias avaient utilisé les 408 articles expédiés à 191 médias écrits d'Oklahoma en provenance du bureau d'information publique et du bureau d'information agricole de l'Oklahoma State University. Les résultats sont les suivants : les quotidiens ont utilisé 7,6% du matériel, les hebdos 9% et les bihebdomadaires 21,6%. On peut déduire de cette étude deux éléments : d'abord, les quotidiens et les hebdos utilisent peu le matériel qui leur est acheminé ; ensuite, les médias qui dépendent moins de l'actualité ont tendance à considérer davantage le contenu des documents reçus que leur actualité.

Morton et Ramsey (1994b, p. 181) signalent en fait que les études démontrent que plus le tirage d'un journal est faible, plus les chances de voir publier son communiqué est grand.

Dans une analyse que ces deux auteurs ont menée concernant les communiqués utilisés par l'agence de distribution PR News Wire (1994b), ils ont réalisé que sur le plan national, les médias avaient repris

Exemple 48

Le réseau
caisse,chartier
Extraction, gestion et analyse de nouvelles

Relevé radio-télé^c
Radio-TV Synopsis^c

```
   1080 UNIVERSITE LAVAL

   97/04/15          01A-0926    Page:   1 de   2
   Contact: MADAME SUZANNE GRENIER
   Fax 1  : 1 (418) 656-2809  [08 ]
   Fax 2  :
   Tel    : 1 (418) 656-2571
```

1— 07:30 Québec - Plus de 146 000 visiteurs ont défilé aux Floralies de Québec.
   Des profits de 200 000 $ ont été réalisés; ils iront aux recherches de
   l'Université Laval, de la Société d'horticulture.
   INTERVIEW: Jean-Paul L'Allier, maire de Québec
              Guy Boulet, président

   SOURCE   : CBV-AM RADIO   (SRC)
              NOUVELLES   QUEBEC QC
   MINUTES : 1.00   97/04/14   # 1243-01A-115968

2— 07:36 Floride - L'homme d'affaires de Québec Isidore Pollack est décédé en
   Floride hier; c'est à sa mémoire qu'on a nommé un des pavillons de
   l'Université Laval.

   SOURCE   : CBV-AM RADIO   (SRC)
              NOUVELLES   QUEBEC QC
   MINUTES : 0.30   97/04/14   # 1243-01A-115973

3— 11:05 Québec - Les premières Floralies de Québec ont dépassé les objectifs
   des organisateurs. Les surplus iront au Centre de recherche en horticulture
   de l'Université Laval.
   INTERVIEW: Guy Boulé, président

   SOURCE   : CBV-AM RADIO   (SRC)
              NOUVELLES   QUEBEC QC
   MINUTES : 0.45   97/04/14   # 1243-01A-115986

4— 08:02 Québec - Les Floralies ont obtenu un succès économique et
   d'achalandage. Les profits iront à la Société d'horticulture ainsi qu'à
   l'Université Laval pour leurs recherches.
   INTERVIEW: Marc Lachance, directeur général

   SOURCE   : CJMF-FM   (COGECO)
              NOUVELLES   QUEBEC QC
   MINUTES : 2.00   97/04/14   # 1243-01A-115958

Exemple 49

418-656-3574   S. COMMUNICATION   226 P02   12/06/'97 12:10

caisse, chartier
Le réseau national d'extraits de presse du Québec et du Canada

LA SITUATION FINANCIERE DES UNIVERSITES QUEBECOISES

98 11 15 ► 1080	RESEAU SRC RADIO, 12:32 LE MIDI 15

Animateur:	*Jean Dussault*
Entrevue:	*Michel Gervais, recteur de l'université Laval (Sainte-Foy) et ancien président de la CRPUQ*

Dussault:	M. Michel Gervais, lui, il est recteur de l'université Laval et, par ailleurs -- et c'est plutôt à ce titre-là que je vais m'adresser à lui dans la seconde qui vient -- M. Gervais est, par ailleurs, un ex-président de la Conférence des recteurs et principaux d'université du Québec, donc les patrons des universités. Et puis cette association, la CRPUQ, là c'est une association de dirigeants d'institutions qui ont, disons, des comptabilités inégales. Par exemple, McGill et Montréal... et l'Université de Montréal ont l'immense part des 150 millions de déficits accumulés par les universités québécoises, alors qu'il y en a d'autres qui équilibrent, ou quasiment, leur budget. M. Gervais donc est à l'université Laval de Sainte-Foy, faut-il dire.

Bonjour, Monsieur Gervais. |
Michel Gervais:	Bonjour.
Dussault:	Monsieur Gervais, est-ce que les différences de situation financière des universités sont dues à des missions différentes ou à des administrations différentes?
Gervais:	Il y a différentes explications qu'on peut donner. M. Molinari vient d'en donner une: par exemple, à l'Université de Montréal, on a mis en place cette année un programme de retraites anticipées, si vous voulez, de départs volontaires...
Dussault:	Hmm, hmm.
Gervais:	... qui coûtent très cher la première année. D'autre part, certaines universités ont eu à l'égard de ce financement gouvernemental une attitude, je dirais, plus sceptique, et d'autres, plus confiante. Je vous donne l'exemple de l'équité salariale où l'université que je dirige, malgré le fait que le gouvernement s'était implicitement engagé à payer les coûts de

Page: 1

17% des communiqués. Ils expliquent ce rendement élevé au fait que leur échantillon comportait en grande majorité des communiqués venant du monde des affaires et de l'industrie.

Certains auteurs parlent de l'appui que peuvent apporter les médias à une information. C'est ce qu'on appelle le « 3rd party endorsement » (Goldman, 1984, p. 29). Parce que les médias sont ordinairement perçus par le public comme une source fiable d'information, le fait de paraître dans un média garantit presque automatiquement une certaine crédibilité à la nouvelle ainsi diffusée.

Savoir que le communiqué a été diffusé est intéressant, car il permet de juger de l'efficacité des relations de presse de l'entreprise. Mais il faut aussi étudier dans quel contexte il a été diffusé. A-t-il été publié tel quel? Y a-t-on ajouté des commentaires? Ceux-ci étaient-ils positifs ou négatifs? Le journaliste a-t-il interrogé des personnes qui ne partageaient pas le même point de vue que l'entreprise et a-t-il refait le texte avec des points de vue divergents? Le communiqué a-t-il donné l'occasion aux concurrents, adversaires, compétiteurs de l'entreprise de faire valoir également leur point de vue? Des firmes, comme Impact Recherche ou Le Réseau Caisse, Chartier, réalisent de telles analyses qualitatives d'impact de couverture de presse.

Au-delà du communiqué lui-même, est-ce que l'environnement médiatique a été favorable à l'entreprise pendant la même période? Le communiqué a-t-il été noyé dans un ensemble d'informations hostiles ou favorables à l'entreprise? La réponse à cette question incite alors l'entreprise à de nouvelles relations de presse.

L'évaluation de l'émission d'un communiqué peut comprendre toutes ces facettes. C'est ainsi qu'une entreprise se saisit du climat et de l'environnement et peut s'ajuster.

Une autre approche consiste à évaluer le coût en argent qu'aurait exigé l'achat de l'espace accordé gratuitement par les médias au traitement du communiqué. On dit alors que la diffusion du communiqué équivaut à tel montant d'espace publicitaire. Ce travail peut être fait dans l'entreprise même ou par des firmes spécialisées, comme Clip, par exemple.

Si le communiqué ne passe pas, il faut aussi en retirer des conclusions positives. Rival (1961, p. 69) écrit à ce sujet: «Chaque jour, des dizaines de particuliers ou d'organisations s'indignent, car leur texte (qui leur paraissait d'intérêt public...) n'a pas été publié. Si pareille déception vous arrivait, ne perdez pas votre temps en stérile indignation. Profitez-en pour essayer de comprendre, afin de pouvoir mieux faire la prochaine fois, pourquoi la presse n'a pas pris votre information en considération. »

Dans son étude sur les raisons du rejet des communiqués par les décideurs d'un quotidien de dimension moyenne, Aronoff (1976) en vint à la conclusion que la localisation de la source était un argument positif dans la diffusion. En somme, l'élément proximité jouait tout autant que l'élément contenu dans la décision de diffuser un communiqué. Morton (1986, p. 27) ajoute que les sujets qui touchent plus directement la vie de tous les jours des lecteurs ont plus de chance d'être retenus que les communiqués institutionnels, par exemple, qui ne semblent pas intéressants parce qu'ils servent uniquement les intérêts de l'institution et ne sont pas des informations pertinentes pour le lecteur.

3

LES CIRCONSTANCES OÙ
LE COMMUNIQUÉ EST REQUIS

Le communiqué est certes l'outil passe-partout des relations de presse. Il peut être utilisé dans toutes les circonstances où l'entreprise qui l'émet croit détenir une information d'intérêt public et veut la faire connaître rapidement.

Il permet de rejoindre simultanément l'ensemble des médias, de gagner ainsi un temps précieux et, surtout, de diffuser un message dont le contenu est arrêté par l'entreprise elle-même.

Walters *et al.* (1994, p. 346) font état de plusieurs études qui démontrent que les communiqués influencent de façon diverse mais certaine les textes des journalistes. Ainsi, Martin et Singletary (1981) et Turk (1985, 1986) en sont arrivés à la conclusion que les quotidiens acceptaient davantage de communiqués qu'ils en rejetaient. Même lorsqu'il s'agissait d'un sujet spécifique, les quotidiens adoptaient la même attitude. Sachsman (1976) a découvert que plus de la moitié des informations publiées sur l'environnement dans la baie de San Francisco provenaient de communiqués. Glick (1966), Rings (1971), Kaid (1976), Sachsman (1976) et Hale (1978), de leur côté, ont clairement établi que les communiqués, même s'ils n'étaient pas publiés comme tels, influençaient le contenu des nouvelles. Turk (1985, 1986) a réalisé que cette situation n'était possible que parce que les rédacteurs de communiqués étaient capables de transmettre des informations factuelles et dignes d'intérêt pour les journalistes.

Toutefois, il faut savoir que tous les médias n'adoptent pas la même attitude face aux communiqués. Son utilisation dépend dans une large mesure de l'importance de la diffusion du quotidien, de la grosseur de son équipe rédactionnelle et de sa périodicité. Les quotidiens à grand tirage ont toujours des trous à combler. Leurs journalistes n'hésitent donc pas à recourir aux relationnistes pour ce faire (Walters et Walters 1992). Les quotidiens à faible tirage, comme les hebdomadaires et les bihebdomadaires, dépendent d'une salle de rédaction restreinte et sont donc ouverts à l'utilisation des communiqués.

1. Ses caractéristiques

Il existe certaines circonstances où le communiqué doit être utilisé de préférence à d'autres techniques, car ses caractéristiques lui permettent de remplir de façon remarquable diverses tâches.

On utilisera donc le communiqué de façon préférentielle :

— quand on veut attirer l'attention des médias sur son objet d'une façon rapide et universelle. C'est la principale et première raison d'être du communiqué.

Abbott et Brassfield (1989, p. 853) ont cité plusieurs études qui démontrent que le communiqué demeure la première source d'information de ceux qui préparent les nouvelles dans les médias :

— quand l'événement ou la nouvelle ne justifie pas le déplacement des journalistes.

Il faut savoir qu'un communiqué bien fait sur une information pertinente peut avoir plus d'impact qu'une conférence de presse non justifiée :

— quand l'événement est important, mais que l'on veut éviter la rencontre directe, sinon l'affrontement avec les journalistes.

C'est le cas des mises au point délicates de personnalités politiques, de l'annonce de mesures impopulaires ou d'une déclaration sur un sujet controversé. Dans ces circonstances, le communiqué permet de diffuser l'information sans avoir à entrer dans tous les détails et les effets secondaires d'une telle situation.

Le communiqué est donc en mesure de relever certains défis spatiotemporels tout en évitant les intermédiaires qui sont souvent des sources d'interprétations diverses. Si tel est le but visé, il est utile d'expédier le communiqué à la fin de la journée de façon à ce qu'il soit difficile de rejoindre les porte-parole de l'entreprise pour commenter la nouvelle. Après 17 h, il n'y a habituellement plus personne dans les bureaux. L'information est donc diffusée telle quelle le soir aux bulletins des médias électroniques et reprise dans les médias écrits le lendemain, sans commentaires.

Les médias détestent toutefois ce genre de situations et ne se gênent pas pour les décrier. Elles sont, en fait, contraires aux règles du jeu habituelles dans les relations de presse. Il existe cependant dans les entreprises des circonstances qui les poussent à avoir recours à un tel processus :

— quand il est utile de remettre un texte écrit.

Lors d'une conférence de presse, d'un colloque, d'un cocktail ou de toute autre assemblée, il est toujours utile de remettre un communiqué qui résume la position de l'entreprise en des termes choisis par elle.

D'ailleurs, en ces circonstances, les journalistes apprécient avoir en main un texte officiel. Le communiqué sert alors d'appui et de support matériel à l'information diffusée. Si le communiqué résume bien l'événement, il y a de fortes chances que le journaliste s'en inspire pour préparer sa nouvelle.

On a pu démontrer que les journalistes avaient tendance à accorder une meilleure couverture de presse aux conférenciers qui avaient remis un texte écrit (Rivet et Gilbert, 1969). Il est, en effet, plus facile pour eux de saisir la substance d'un discours s'ils peuvent s'appuyer sur un texte bien structuré. Hale (1978) a étudié la couverture de presse des décisions de la Cour suprême de Californie et a constaté que des 88 décisions qui ont fait l'objet d'un communiqué, 66 % ont été reprises dans au moins un quotidien, alors que des 51 décisions qui n'ont pas fait l'objet de communiqué, seulement 8 % ont été citées.

Enfin, pour Lougovoy et Huisman (1981, p. 342) :

Seules les informations d'intérêt réel envoyées à la bonne personne, présentées clairement et sans périphrases, bien documentées et soigneusement classées (afin qu'à la limite le journaliste puisse travailler avec des ciseaux), écrites dans le ton du journal, et sans relent publicitaire, ont des chances d'être reprises et de faire l'objet d'une information de presse.

Marken (1994, p. 9) rappelle qu'un relationniste ne peut pas s'attendre à ce qu'un média publie tel quel son communiqué et qu'il doit savoir qu'un de ses objectifs, c'est d'amener un journaliste à lui téléphoner pour obtenir de plus amples informations sur l'objet du communiqué.

2. Ses avantages

Voici les principaux avantages à utiliser le communiqué :

Facile à réaliser

Lorsque l'on a compris ses règles de composition, le communiqué est un moyen facile à maîtriser pour la source. Il est plus simple à réaliser et moins périlleux que l'organisation d'une conférence de presse, par exemple.

Rapide à réaliser

Lorsque les règles d'approbation sont clairement identifiées, c'est un document qui peut se diffuser rapidement. Il peut s'adapter à toutes les situations d'urgence qu'une entreprise a à traverser.

Efficace pour rejoindre un ensemble de médias

C'est la manière la plus expéditive de rejoindre les médias, celle qui demande le moins de temps et de travail. Le communiqué atteint toutes les salles de rédaction en peu de temps.

Économique à réaliser

Son économie d'utilisation constitue un moyen privilégié du fait qu'il requiert et mobilise peu de ressources. Il se prête donc à une utilisation caractérisée par un rapport efficacité/prix intéressant.

Moyen rapide de rejoindre sa clientèle

Comme le communiqué atteint tous les médias, il permet de rejoindre de façon rapide la clientèle visée peu importe où elle se trouve sur un territoire donné et quels que soient les canaux d'information qu'elle privilégie. Le communiqué peut, en effet, être repris aussi bien par les médias écrits qu'électroniques.

Diffusion de données exactes

Pour le journaliste, c'est un message écrit qui permet d'avoir en main toutes les données pertinentes et précises, la bonne orthographe des noms cités, le titre exact et la définition juste de chaque élément.

Contrôle de l'information

Lors de la rédaction d'un communiqué, l'entreprise dispose d'une entière liberté en ce qui a trait à la présentation des éléments de la nouvelle, ce qui lui permet de formuler le message dans ses propres termes. Ohl *et al.* (1995) ont analysé 84 communiqués émis par deux sources différentes lors d'une offre publique d'achat hostile ainsi que la façon dont ils ont été repris dans les 221 articles publiés par cinq médias. Ils en sont arrivés à la conclusion suivante : les communiqués d'une des parties étaient plutôt neutres et ceux de l'autre, nettement engagés dans la défense de sa position. Les médias ont reflété dans leurs articles la tendance neutre de l'un et la tendance engagée de l'autre.

Tandis que lors d'une conférence de presse ou d'une entrevue, le journaliste formule les questions et rédige les réponses, le représentant de l'entreprise construit au fur et à mesure le discours qu'il divulgue. Les possibilités d'inexactitude, d'interprétation, de faux pas y sont donc plus fréquentes. Par contre, le communiqué est vu et revu à tête reposée, par plusieurs personnes, avant l'autorisation de sa diffusion (Lovell, 1982, p. 170).

De plus, l'information diffusée sous forme de communiqué n'est pas entachée d'arguments de vente comme c'est le fait de la publicité.

Enfin, le communiqué permet à l'entreprise de garder le contrôle de sa date de diffusion. Car même si un média ne diffuse pas l'information, celle-ci n'existe qu'au moment où l'entreprise veut bien la libérer.

Source de documentation

Le communiqué constitue aussi une source de documentation pour le journaliste ; celui-ci possède ainsi des informations qu'il peut utiliser tout au long de l'année. Et si le communiqué n'est pas publié, il peut servir d'amorce à un article ou à une enquête.

Avantageux pour le média

Le communiqué est aussi la source d'information la moins chère pour le média et la moins exigeante pour le journaliste qui n'a pas à se déplacer. Il évite aux médias d'envoyer des journalistes à la recherche de nouvelles obtenues directement.

Il facilite le travail du journaliste, car la nouvelle est toute prête à être publiée. Les médias d'information doivent rencontrer des objectifs de rentabilité. Ils doivent souvent utiliser, comme source d'information, des événements préfabriqués qui ne sont ni coûteux ni difficiles à couvrir.

3. Ses inconvénients

Ils se résument à ces points majeurs :

Un procédé impersonnel

Pour le journaliste qui reçoit de nombreux communiqués dans la même journée, c'est une source d'information parmi d'autres qui risque donc de passer inaperçue. Le communiqué n'a pas la force du contact direct et humain.

Difficile à contrôler

Il est révolu le temps où l'on disait : « Parlons-en en bien ou en mal, pourvu qu'on en parle. » Les entreprises investissent trop d'énergie dans la fabrication d'une image positive pour accepter facilement qu'on parle d'elles en termes négatifs.

Or, le journaliste peut à sa guise modifier le contenu du communiqué. L'entreprise n'est donc jamais sûre qu'il sera publié tel quel dans les médias. Elle n'a pas de pouvoir sur la diffusion finale de son communiqué.

Ce n'est pas un texte exclusif

Même si le communiqué est un avis officiel, le fait qu'il soit distribué dans tous les médias en même temps lui enlève tout caractère original. Ainsi, il sera considéré *a priori* comme un texte d'importance relative.

Sa présentation n'est pas toujours adéquate

À ce sujet, voici un certain nombre de défauts qui ont pu déjà discréditer un communiqué :
- peu d'intérêt immédiat
- peu de lecteurs intéressés
- absence de renseignements essentiels
- inexactitudes apparentes dans le texte
- mal rédigé
- nouvelle de toute évidence fausse
- texte beaucoup trop long pour en dire peu
- répétition d'une information déjà parue sans éléments nouveaux (Cercle de presse de l'amiante, 1984, p. 9)

Espace restreint

Le temps et l'espace sont réduits, car la publicité, les chroniques régulières et les faits d'importance en occupent la majeure partie. Le communiqué suit cette avalanche d'informations et doit tenter d'accaparer son espace. Moins de 10 % des communiqués ont la chance d'être publiés.

L'obstacle du garde-barrière

Le garde-barrière dans la circulation de l'information, nous l'avons vu, c'est celui qui, à une étape ou l'autre du processus de diffusion de l'information, décide de faire passer ou non la nouvelle. Il exerce donc un rôle déterminant dans le choix des informations qui seront diffusées. Ainsi, il appartient au chef de pupitre de retenir ou non l'information et, le cas échéant, de placer la nouvelle à la une ou ailleurs.

Ces éléments négatifs restreignent donc la portée du communiqué, mais ils ne lui enlèvent pas ses avantages qui sont aussi très nombreux.

CONCLUSION

En raison de ses caractéristiques, le communiqué s'avère pour le communicateur la forme la plus utilisée des techniques de communication. Il permet de répondre à des besoins spécifiques avec une efficacité remarquable à condition que son auteur en maîtrise parfaitement les exigences.

Ces dernières se posent tout au long du processus de production du communiqué : lors du choix des informations, de leur rédaction, de leur mise en pages, de leur approbation et de l'expédition. Il convient alors que le communicateur s'interroge constamment sur les choix qu'il effectue.

La réalisation d'un communiqué illustre bien le fait que les communications constituent un univers complexe où chaque étape à franchir relève de stratégies concurrentes : que ce soit à l'intérieur même de l'entreprise où les différents partenaires – les détenteurs de contenu, les relationnistes, les autorités – doivent s'ajuster pour produire un message accepté de tous ; que ce soit à l'extérieur de l'entreprise où le message est confronté à d'autres messages d'horizons divers et parfois opposés ; que ce soit la quête difficile de l'attention de médias concurrents où il faut produire une information acceptable pour tous ; que ce soit le dur test de l'acceptation de son communiqué à l'intérieur de chaque média. Toutes ces étapes démontrent bien que le communiqué n'est pas seulement un outil de communication ou un exercice littéraire, mais bien le produit d'une planification stratégique.

ANNEXE

RÈGLE DE GESTION

RÈGLE RÉGISSANT LES COMMUNICATIONS
DU MINISTÈRE DE L'ÉDUCATION
AVEC DIFFÉRENTS INTERLOCUTEURS

OBJET

Le présent document a pour but de fixer, à l'intention du personnel du ministère de l'Éducation, les lignes de conduite à suivre en matière :

- de communications avec les médias
- de communications avec les membres de l'Opposition officielle
- de communications sur l'autoroute de l'information
- d'émission de communiqués de presse
- d'organisation de conférences de presse
- d'organisation d'activités publiques de la ministre
- de communications à l'égard de la Loi sur l'accès aux documents des organismes publics et sur la protection des renseignements personnels.

COMMUNICATIONS AVEC LES MÉDIAS

Remarque préliminaire

Les relations du personnel avec les médias (journalistes ou recherchistes) sont, à l'échelle gouvernementale, régies par le *Règlement sur les normes d'éthique, de discipline et le relevé provisoire des fonctions dans la Fonction publique* (577-85).

Selon l'article 4 de ce règlement, «le fonctionnaire qui se propose de publier un texte ou de se prêter à une interview sur des questions portant sur des sujets reliés à l'exercice de ses fonctions ou sur les activités du ministère ou de l'organisme où il exerce ses fonctions doit préalablement obtenir l'autorisation du sous-ministre, du dirigeant de l'organisme ou de son représentant».

- 2 -

Responsabilités en matière de relations avec les médias

En plus de se conformer à ce règlement, le ministère de l'Éducation a défini les modalités qui régissent ses relations avec les médias. La responsabilité de ces relations est partagée.

<u>À la Direction des communications</u>

Le **directeur des communications** est responsable de la coordination des relations avec les médias. Toutefois, la pratique quotidienne de cette responsabilité est déléguée à une professionnelle **responsable des relations avec les médias**, qui voit à :

- recevoir les demandes des médias;
- effectuer, dans les cas simples, les recherches auprès du personnel du Ministère en vue de donner suite à ces demandes;
- diriger, dans les cas plus techniques, les journalistes et les recherchistes vers les personnes capables de leur répondre, en s'assurant que la démarche connaisse un dénouement satisfaisant.

La personne responsable des relations avec les médias n'est pas une «porte-parole officielle du Ministère». Bien qu'il puisse arriver que, dans certains cas, le directeur des communications joue ce rôle, la nature complexe des dossiers rend impraticable et inefficace toute délégation en ce sens. La Direction des communications a toutefois la responsabilité de soutenir les membres du personnel qui, sur des sujets précis, auraient la tâche d'agir à titre de porte-parole.

<u>Au Cabinet de la ministre</u>

La responsable des relations avec les médias à la Direction des communications met les journalistes en relation avec l'**attachée de presse** de la ministre quand une intervention à caractère politique est nécessaire.

L'attachée de presse est en outre mise au courant de toutes les démarches des médias susceptibles d'avoir un certain impact sur l'«image du Ministère», qu'il s'agisse de demande d'entrevues pour la presse électronique ou de recherches de la presse écrite.

En contre-partie, l'attachée de presse transmet à la responsable des relations avec les médias les demandes des journalistes qui lui parviennent et qui exigent un traitement administratif.

- 3 -

Dans les unités administratives

À la demande de la Direction des communications ou du Cabinet de la ministre, les **gestionnaires** (plus précisément, la plus haute autorité au sein de l'unité concernée) peuvent répondre eux-mêmes aux journalistes ou désigner la personne devant leur répondre.

La responsable des relations avec les médias communiquera directement avec les gestionnaires dans les cas où un dossier serait de responsabilité partagée, lorsque la Direction des communications ne peut désigner qui en est le porteur ou dans tous les cas jugés délicats.

Avec l'accord de la Direction des communications ou du Cabinet de la ministre, les personnes désignées (gestionnaires, professionnels ou, à l'occasion, fonctionnaires) donnent aux journalistes ou aux recherchistes **l'information objective, factuelle et vérifiable dont ils disposent, à l'exclusion de toute opinion personnelle ou de toute interprétation subjective**.

Cheminement des demandes

Les journalistes et les recherchistes s'adressent à la personne responsable des relations avec les médias à la Direction des communications. Dans les cas plus simples, cette personne cherche l'information demandée et la transmet elle-même au média. Dans les cas plus complexes, en particulier quand des sous-questions de la part du média sont probables, elle met le ou la journaliste en contact avec le ou la responsable du dossier, qui doit apporter à la demande une réponse diligente et transparente.

Si un ou une journaliste appelle directement le ou la responsable d'un dossier au Ministère, cette personne prend note de la demande et vérifie, auprès de la responsable des relations avec les médias à la DC, comment on doit y donner suite.

Lorsqu'il y a demande d'entrevue devant être diffusée en ondes, la responsable des relations avec les médias doit en être avisée et prendre contact avec le Cabinet de la ministre pour convenir de la ligne de conduite à adopter.

Relations proactives avec les médias

La Direction des communications ou une autre unité administrative peuvent elles-mêmes suggérer une communication avec les médias, par exemple pour rétablir certains faits ou pour faire connaître des éléments méconnus de l'action du Ministère. Cette forme de communications est coordonnée par le directeur des

- 4 -

Communications qui vérifie avec le Bureau du sous-ministre et avec le Cabinet de la ministre la pertinence d'une telle démarche.

Mode de réaction rapide

Certains événements commandent que le Ministère réagisse très rapidement à une action médiatique réelle ou appréhendée (parution d'un article, appel d'un journaliste sur une question délicate, etc.). Ces cas doivent être dépistés par la Direction des communications ou par toute personne qui pressent l'apparition d'un problème.

La Direction des communications, notamment le directeur ou la personne responsable des relations avec les médias, confirme l'urgence de la situation avec le secteur concerné, avec le Bureau du sous-ministre et avec le Cabinet de la ministre et détermine les moyens à prendre pour réagir à la situation. Il peut s'agir, par exemple, de l'émission d'un communiqué de presse, d'une rectification verbale auprès d'un ou d'une journaliste, d'une entrevue accordée à un ou à des médias, d'une déclaration de la ministre, etc.

La plus haute autorité du secteur concerné désigne la personne la mieux placée pour traiter de la question et fait préparer une courte note (une ou deux pages) sur la question débattue. Cette note doit parvenir à l'attachée de presse de la ministre, après approbation par le sous-ministre, avant midi le jour même. Cependant, les jours où la période de questions à l'Assemblée nationale est prévue pour 10 h, la note doit parvenir à l'attachée de presse au plus tard à 9 h 45. S'il y a lieu, le communiqué de presse est préparé en parallèle.

COMMUNICATIONS AVEC LES MEMBRES DE L'OPPOSITION OFFICIELLE

Toute demande d'information provenant d'un membre de l'Opposition officielle ou d'un membre du personnel de l'Opposition officielle doit être adressée à l'attachée de presse de la ministre, qui verra à y donner la suite appropriée.

COMMUNICATIONS SUR L'AUTOROUTE DE L'INFORMATION

La Direction des communications est responsable de l'édition des documents à rendre disponibles sur l'autoroute de l'information. À ce titre, toute information ou tout document qu'une unité administrative voudrait voir offrir sur le site du Ministère doit d'abord être acheminé au directeur des Communications, qui est chargé d'en approuver la nature et le format, en collaboration avec les membres d'une table de coordination ministérielle créée à cette fin.

- 5 -

ÉMISSION DE COMMUNIQUÉS DE PRESSE

Cabinet de la ministre

Le Cabinet de la ministre a la responsabilité des communiqués dont il est la source ou qu'il choisit de signer.

Il est la source exclusive des communiqués de nature politique.

Unités administratives

Les unités administratives autorisées à émettre des communiqués de presse de nature administrative sont :

- la Direction des communications pour les communiqués d'intérêt national;

- les directions régionales pour les communiqués d'intérêt régional ou local.

Procédure d'approbation

Deux cheminements distincts sont possibles.

- **Si la source est une unité administrative**, tout projet de communiqué de presse et le plan de diffusion afférent doivent être :

  préparés sous la responsabilité du directeur des Communications;

  approuvés par le directeur des Communications;

  validés par le directeur ou la directrice de l'unité administrative concernée;

  validés par le sous-ministre;

  et, si nécessaire, approuvés par le Cabinet de la ministre.

- **Si la source est une direction régionale**, tout projet de communiqué de presse et le plan de diffusion afférent doivent être préparés sous la responsabilité et pour l'approbation du directeur régional ou de la directrice régionale.

  Au besoin, la direction régionale soumettra son projet au directeur de la Coordination des réseaux. S'il advenait que le sujet traité présente un intérêt national ou qu'il concerne un dossier dont devrait être saisi le Cabinet de la ministre, le directeur de la Coordination des réseaux en informe le directeur des Communications, qui en informe à son tour le BSM et le Cabinet de la ministre.

- 6 -

ORGANISATION DE CONFÉRENCES DE PRESSE

La Direction des communications a la responsabilité d'assurer l'organisation des conférences de presse, la convocation des journalistes et le suivi de l'information, en collaboration avec l'unité administrative concernée et en concertation avec l'attachée de presse de la ministre.

ORGANISATION D'ACTIVITÉS PUBLIQUES DE LA MINISTRE

Acheminement des demandes

L'unité administrative qui envisage la participation de la ministre à un événement public (participation à des colloques ou réunions d'association, présence au lancement d'ouvrages, présidence de conférences de presse ou d'autres événements du même genre) doit soumettre son projet à la Direction des communications, qui prend alors en charge l'acheminement de la demande au Bureau du sous-ministre et au Cabinet de la ministre.

COMMUNICATIONS À L'ÉGARD DE LA LOI SUR L'ACCÈS AUX DOCUMENTS DES ORGANISMES PUBLICS ET SUR LA PROTECTION DES RENSEIGNEMENTS PERSONNELS

Toute demande verbale ou écrite, adressée à un fonctionnaire du ministère de l'Éducation ou à un membre du Cabinet de la ministre, référant à l'accès aux documents des organismes publics ou à la protection des renseignements personnels (L.R.Q., chapitre A-2.1, appelée «loi 65»), doit être acheminée au directeur des Communications, désigné, par délégation ministérielle, comme «responsable de l'Accès au ministère de l'Éducation».

En vertu des dispositions de la loi, le responsable de l'Accès doit répondre au requérant «au plus tard dans les vingt jours qui suivent la date de la réception de sa demande». (art. 47)

Date d'entrée en vigueur	28 septembre 1994
Mise à jour	17 juin 1996
Révision	La Direction des communications
Approbation	Le sous-ministre

Le communiqué

Gouvernement du Québec
Ministère de l'Éducation
Direction des communications

COMMUNICATIONS
AVEC LES MÉDIAS

NOTE : *Chaque fois qu'une réponse est donnée à un journaliste, ce formulaire doit être rempli à la main et remis IMMÉDIATEMENT à Rolande Hamel, au 11e étage, ou lui être transmis par télécopieur au (418) 528-2080. S'il est impossible de répondre à la demande du journaliste, lui dire de s'adresser à Rolande Hamel au (418) 644-0759.*

NOM : _____

MÉDIA : _____

TÉLÉPHONE : _____ TÉLÉCOPIEUR : _____

RENSEIGNEMENTS ☐
RECHERCHE DOCUMENTAIRE/PUBLICATIONS ☐
INFORMATION À CARACTÈRE POLITIQUE ☐

Question(s) : _____
_____
_____
_____

Réponse(s) : _____
_____
_____
_____
_____
_____
_____
_____
_____

PERSONNE-RESSOURCE : _____ TÉL. : _____

SIGNATURE : _____ DATE : _____

HEURE : _____

BIBLIOGRAPHIE

ABBOTT, Eroc A. et Lynn T. BRASSFIELD, 1989, «Comparing Decisions of Releases by TV and Newspaper Gatekeepers», *Journalism Quarterly*, vol. 66, n° 4, hiver, pp. 853-856.

ALTHEIDE, David L. et Robert P. SNOW, 1979, *Media Logic*, Sage Library of Social Research, 89, Beverly Hills, Sage Publications, 256 p.

ANGEL, J.L. et June L. AULICK, 1976, *News Releases. How to Write and Where to Place Them*, New York, World Trade Academy Press Inc., 263 p.

ARONOFF, Craig E., 1976, «Predictors of Success in Placing Releases in Newspapers», *Public Relations Review*, 2, pp. 43-57.

ARNOLD, Davis S., Christine S. BECKER et Elizabeth K. KELLAR, 1983, *Effective communication: Getting the Message Across*, International City Management Association, Municipal Management Series.

AUCLAIR, Georges, 1970, *Le mana quotidien: structures et fonctions de la chronique des faits divers*, Paris, Éditions Anthropos, 276 p.

BARTHES, Roland, 1967, *Le système de la mode*, Paris, Seuil, 327 p.

BAXTER, Bill L., 1981, «The News Release: An Idea Whose Time Has Gone?», *Public Relations Review*, 7, pp. 27-31.

BLYSKAL, Jeff et Marie, 1985, *PR. How the Public Relations Industry Writes the News*, New York, William Morrow and Co. Inc, 241 p.

BOUCHARD, Jacques, 1981, *L'autre publicité: la publicité sociétale*, Saint-Lambert, Les éditions Héritage, 207 p.

BRIAND, Louis *et al.*, 1983, *Guide d'usage des médias*, Saguenay–Lac-Saint-Jean, Jonquière, Productions Carouges, 75 p.

CAPISTRAN, Michel, Alain DUHAMEL, Lise HOSSON *et al.* 1986, *Les communications: un atout pour votre municipalité*, Montréal, Union des municipalités du Québec, 99 p.

CERCLE DE PRESSE DE L'AMIANTE, 1984, *Communiquer et travailler efficacement avec les médias*, collaboration du Service de l'éducation des adultes de la Commission scolaire régionale de l'amiante, 16 p. et 4 annexes.

CERCLE DE PRESSE LEFRANCOIS, 1981, *Guide des communications*, Hauterive, 1981, 16 p.

CHARRON, Jean, Jacques LEMIEUX et Florian SAUVAGEAU, 1991, *Les journalistes, les médias et leurs sources*, Boucherville, Gaëtan Morin, Éditeur, 237 p.

CLARK, Marcia S., «Checklist: Getting Your News Releases Through», *Public Relation Journal,* novembre 1986.

C.L.S.C. Lac-Saint-Jean, 1983, *Guide d'initiation à la communication de masse*, mai, 53 p.

COLE, Robert S., 1981, *The Practical Handbook of Public Relations*, New Jersey, Prentice Hall.

COLLARD, André, Odette LUPIEN et Françoise PENVEN, 1982, *Le guide de la communication municipale*, Québec, ACMQ.

CONFÉDÉRATION DES SYNDICATS NATIONAUX, 1987, «Éléments pour une politique d'information à la CSN», extraits publiés dans *Nouvelles CSN*, 23 janvier, n° 250, p. 7.

CONSEIL DES LOISIRS DE LA MAURICIE, 1983, *Le communiqué de presse*, 30 p.

CONSEIL DES LOISIRS DE L'EST DU QUÉBEC, 1981, *L'information et les médias*, Guide à l'usage des bénévoles en loisirs au Québec, avril, 34 p.

CONSEIL DES LOISIRS – RÉGION DE QUÉBEC, 1984, *Information et publicité*, Guide 14: Les outils du bénévole, Québec, 52 p.

CONSEIL DU TRÉSOR, 1984, *Le coût et la productivité du secteur des communications au Gouvernement du Québec, 1982-1983*, Groupe d'étude sur les fonctions administratives horizontales, Gouvernement du Québec, 70 p. + annexes.

CUTLIP, Scott M. et Allen H. CENTER, 1985, *Effective Public Relations*, New Jersey, Prentice Hall, 570 p.

DÉRY, Claude, 1979, *Analyse de la diffusion des communiqués de presse émis par le gouvernement*, Ministère des Communications du Québec, 15 mai, 14 p. + annexes.

DI COSTANZO, Frank, 1986, « What the Press Thinks of Press Releases », *Public Relations Quarterly*, vol. 31, n° 4, pp. 22-24, hiver 1986-1987.

DOIN, Richard et Daniel LAMARRE, 1986, *Les relations publiques : une nouvelle force de l'entreprise moderne*, Montréal, Éditions de l'Homme, 219 p.

DOUGLAS, George A., 1980, *Writing for Public Relations*, Columbus, Merrill Publishing Co., 183 p.

DUMONT-FRÉNETTE, Paul, 1971, « Pratiques courantes et démarches particuliè-res », *Communication et relations publiques*, Montréal, Éditions Leméac/Commerce, pp. 331-348.

DUNN, Delmer D., 1969, *Public Officials and the Press*, Reading, Mass., Addison-Wesley Publishing Co. 208 p.

ECO, Umberto, 1965, *L'œuvre ouverte*, Paris, Seuil, 315 p.

FÉDÉRATION DES COMMISSIONS SCOLAIRES CATHOLIQUES DU QUÉ-BEC, 1971, *La gestion des affaires scolaires*, Québec, 72 p.

FISHMAN, Mark, 1982, « News and Nonevents: Making the Visible Invisible », dans James S. ETTEMA et D. Charles WHITNEY, *Individuals in Mass Organization : Creativity and Constraint*, Beverly Hills, Sage Publications, pp. 219-240.

GANS, H.J., 1979, *Deciding What's New. A Study of CBS Evening News, NBC Nightly News, Newsweek and Time*, New York, Pantheon.

GARICOIX, Michel, Henri ISRAËL et Jean-Marie CHARPENTIER, 1985, *Pratique des médias*, Paris, Montholon Services, 96 p.

GENEST, Camille, 1971, *Les organismes de loisirs et les mass médias*, octobre.

GENTON, Paul L., 1970, *Les relations publiques*, Bruxelles, Éditions Arts et Voyages, 162 p.

GLICK, E.M., 1966, « Press-Government Relationships : State and H.E.W. Departments », *Journalism Quarterly*, 43 : 1, pp. 49-56.

GOLDMAN, Jordan, 1984, *Public Relations in the Marketing Mix*, Chicago, Crain Books, 159 p.

GONDRAND, François, 1981, *L'information dans les entreprises et les organisations*, Paris, Les Éditions d'Organisation, 360 p.

GOODELL, R., 1975, *The Visible Scientists*, Boston, Little, Brown and Co.

GREEN, Richard et Denise SHAPIRO, 1987, « A Video News Release Primer », *Public Relations Quarterly*, vol. 32, n° 4, p. 10-13, hiver 1987-1988.

GREENBERG, Keith Elliot, 1994, « Video Releases with a Twist Make News », *Public Relations Journal*, vol. 50, no 7, août/septembre, pp. 22-24.

GRONDIN, Lise, 1987, *Guide de références en matière de communication*, Gouvernement du Québec, Parti libéral, 62 p.

GRUNIG, James E. et Todd HUNT, 1984, *Managing Public Relations*, Holt, Rinehart and Winston, 576 p.

HALE F.D., 1978, « Press Releases *vs.* Newspaper Coverage of California Supreme Court Decisions », *Journalism Quarterly*, 55 : 4, pp. 696-702.

HAMILTON Carl, 1975, « You Need to Know Two News Story Forms », *Publicity Process*, David Lendt éd., Ames, Iowa.

HARLESS, James D., 1974, « Mail Call : A Case Study of a Broadcast News Gatekeeper », *Journalism Quarterly*, 51, pp. 87-90.

HARRIS, Morgan et Patti KARL, 1976, *How to Make News and Influence People*, É.-U. Tab Books, 140 p.

HONAKER, C., 1978, « Why Your Releases Aren't Working », *Public Relations Journal*, mars, pp. 16-19

HONAKER, C., 1981, « News Releases Revisited », *Public Relations Journal*, avril, pp. 25-27.

HORNE, Grant N., 1986, « Making Video a Full Partner in Public Relations », *Public Relations Quarterly*, vol. 31, n° 2, été, pp. 23-26.

KAID, L.L., 1976, « Newspaper Treatment of a Candidate's News Releases », *Journalism Quarterly*, 53 : 1, pp. 135-137.

KETCHUM, 1989, conseil tiré du bulletin *Ketchum Contact*, publié par Ketchum Public Relations et cité dans *Communication Briefings*, Pitman, NJ, vol. 8, n° 2, p. 7.

KLEIN, Ted et Fred DANZIG, 1974, *Publicity : How to Make the Media Work for You*, New York, Charles Scribner's Sons, 256 p. + index.

LACASSE, Gérard, Bernard MOONEY et Marie-France GODIN, 1984, *Guide d'utilisation des médias à l'intention des organismes de loisirs de Beauport est*, août, 100 p.

LAFRANCE, A., André et Gilles ROBERGE, 1985, *Planifiez vos communications d'affaires*, Montréal, Éditions Inter.

LALIBERTÉ, Mario, 1982, *Des instruments de relations publiques à votre portée*, vol. I, 2ᵉ édition, Université Laval, Département d'information et de communication, 212 p.

LE 30, LE MAGAZINE DU JOURNALISME QUÉBÉCOIS, 1996, « Pour en finir avec le « – 30 – »», vol. 20, n° 8, septembre, texte tiré de l'INFO IRSST, vol. 9, n° 3.

LECOQ, Bernard, 1970, *Les relations publiques. Pourquoi ? Comment ?* Paris, Entreprise moderne d'éditions, 108 p.

LEDERMAN, Marsha, 1996, « Why a Slight Slip-up in a News Release Can Turn It Into Instant Trash », *Marketing*, 28 novembre, p. 9.

LEHNISCH, Jean-Pierre, 1985, *La communication dans l'entreprise*, Paris, Presses universitaires de France, 125 p.

LOEFFLER Robert H., 1992, *A Guide to Preparing Cost-Effective Press Releases*, The New York, Haworth Press.

LOUGOVOY, Constantin, 1974, *L'information et la communication de l'entreprise*, Paris, Presses universitaires de France, 104 p.

LOUGOVOY, Constantin et Denis HUISMAN, 1981, *Traité de relations publiques*, Paris, Presses universitaires de France.

LOVELL, Ronald P., 1982, *Inside Public Relations*, Boston, Allyn and Bacon, 415 p.

MARKEN, J.A. 1994, « Press Releases : When Nothing Else Will Do, Do It Right », *Public Relations Quarterly*, vol. 39, n° 3, automne, pp. 9-12.

MARLOW, Eugene, 1994, « Sophisticated News Videos Gain Wide Acceptance », *Public Relations Journal*, vol. 50, n° 7, (août-septembre) pp. 17-25

MARSTON, John E., 1979, *Modern Public Relations*, McGraw Hill Inc., 489 p. + index.

MARTIN, W.P. et M.W. SINGLETARY, 1981, « Newspaper Treatment of State Government Releases », *Journalism Quarterly*, 58 :1, pp. 93-96.

MATTELART, Armand et Michèle, 1979, *De l'usage des médias en temps de crise*, Paris, Alain Moreau.

MILETICH, John J., 1981, *Writing, Editing and Distributing News Releases : A Bibliography of Informations in Books*, Monticello, Ill., Vance Bibliographies, Public Administration Series : Bibliography, P828, 7 p.

MINISTÈRE DES COMMUNICATIONS DU QUÉBEC, 1983, *Guide de l'utilisation des médias*, 52 p.

MORIN, Violette, 1970, « Les articulations fonctionnelles du dessin humoristique », séminaire du Centre d'études des communications de masse (CECMAS), 11 février.

MORTON, Linda P., 1984, « Use of Photos in Public Relations Messages », *Public Relations Review*, vol. 10, n° 4, pp. 16-23.

MORTON, Linda P., 1986, « How Newspaper Choose the Releases they Use », *Public Relations Review*, vol. 12, n° 3, automne, pp. 22-38.

MORTON, Linda P., 1988, « Effectiveness of Camera-Ready Copy in Press Releases », *Public Relations Review*, vol. 14, n° 2, été pp. 45-50.

MORTON, Linda P. et Bill LOVING, 1994a, « In the Stocks : Perilous Press Releases », *Public Relations Review*, vol. 20, n° 2, été, pp. 127-139.

MORTON, Linda P. et Shirley RAMSEY, 1994b, « A Benchmark Study of the PR News Wire », *Public Relations Review*, vol. 20, n° 2, été, pp. 171-182.

NEWSON, Doug et Alan SCOTT, 1985, *This Is PR*, Californie, Wadsworth Inc., 518 p.

NOLTE, Laurence W. et Denis R. WILCOX, 1984, *Effective Publicity : How to Reach the Public*, New York, John Wiley & Son, 361 p. + index.

OHL, Coral M., J. David PINCUS, Tony RIMMER et Denise HARRISON, 1995, « Agenda Building Role of News Releases in Corporate Takeovers », *Public Relations Review*, vol. 21, n° 2, pp. 89-101.

ORR, Diane, 1994, « Incorporating VNRs into Your Public Relations Program », *Public Relations Quarterly*, vol. 39, n° 1, printemps, pp. 22-25.

PANETH, Donald, 1983, *The Encyclopedia of American Journalism*, Facts on File Publications, 548 p.

PARKHURST, William, 1985, *How to Get Publicity (and make the most of it once you've got it)*, New York, Times Books, 245 p.

PESMEN, Sandra, 1983, *Writing for the Media : Public Relations and the Press*, Chicago, Crain Books.

REILLEY, David, 1985, *How to Produce Your Own Press Release*, Victoria (Canada), Integrate publishing, 16 p.

RHÉAUME, Pierre *et al.*, 1984, *Fiches méthodologiques en communication*, Gouvernement du Québec, Ministère des Communications, Communication Québec, 24 p.

RINGS, W.L. 1971, « Public School Coverage with and without P.R. Directors », *Journalism Quarterly*, 48 : 1, pp. 62-67.

RIVAL, Ned, 1961, *Guide pour la pratique des relations publiques*, Paris, Dunod, 374 p.

RIVET, Jacques et Marcel GILBERT, 1969, « La presse et le 24ᵉ Congrès annuel des relations industrielles de Laval », *Le public et l'information*, Les Presses de l'Université Laval, pp. 196 à 220.

ROBERGE, Gilles, 1982, « Sur l'art de l'utilisation du communiqué de presse », *Le publicitaire*, 17 mai.

ROSS, Line, 1990, *L'écriture de presse, l'art d'informer*, Boucherville, Gaëtan Morin Éditeur , 195 p.

ROSS, Robert D., 1977, *The Management of Public Relations*, John Wiley & Sons.

ROTHENBERG, Randall, 1991, « PR Industry Gest Flak Over Mass Mailings », *The Globe and Mail*, 11 juillet, p. B.4.

SACHSMAN, D.B., 1976, « Public Relations Influence on Coverage of Environment in San Francisco Area », *Journalism Quarterly* 53 : 1, pp. 54-60.

SAINDERICHIN, Sven, 1970, *Les techniques de l'information au service de l'entreprise ou le savoir-faire du faire-savoir*, Paris, Éditions Hommes et Techniques, 155 p.

SCHNEIDER, Christian, 1970, *Principes et techniques de relations publiques*, Paris, J. Delmas et cie.

SEITEL, Fraser P., 1980, *The Practice of Public Relations*, Columbus, Merrill, 333 p.

SOCIÉTÉ DES FESTIVALS POPULAIRES DU QUÉBEC, 1980, *Les communications et la fête*, 255 p.

SPERBER, Nathaniel N. et Otto LERBINGER, 1982, *Managers' Public Relations Handbook*, Addison-Wesley Publishing Company, 334 p.

STOCKING, S.H., 1985, « Effect of Public Relations Efforts on Media Visibility of Organizations », *Journalism Quarterly*, 62 : 2, pp. 358-366.

SUGAWARA, Sandra, 1987, « Putting Out the News on Videos », Young D.C. Firm Produces Taped Press Releases, *The Washington Post*, 10 août.

SWARTZ, James W., 1975, *The Publicity Process*, David Lendt éd., Ames, Iowa, The Iowa State University Press, 192 p.

TIME, The Weekly Newsmagazine, 1986, « A Royal Mercy Killing », 6 décembre, p. 43.

TOUSIGNANT, Édith, 1995, *Présentation de la correspondance d'affaires*, chapitre 7 : Le communiqué, Sainte-Foy, Les Éditions La Liberté, 240 p.

TREMBLAY, Rémi, 1996, « Un mal qui enrichit les régions », *Bulletin le 30*, avril, pp. 28-29.

TURK, Judy Van Slyke, 1985, «Information Subsidies and Influence», *Newspaper Research Journal*, 11 : 3, pp. 10-25.

TURK, Judy Van Slyke, 1986, «Public relations Influence on the News», *Newspaper Research Journal*, 7 : 4, pp. 15-26.

VIAU, Mireille, 1985, *Les médias et nos organisations*, Montréal, Centre de formation populaire.

WALTERS, Lynne Masel et Timothy N. WALTERS, 1992, «Environment of Confidence. Daily Newspaper Use of Press Releases» *Public Relations Review*, 18 : 1, pp. 31-46.

WALTERS, Lynne Masel et Timothy N. WALTERS, 1993, *The Four Seasons : Cyclical Success Rates for Public Relations Releases*, College Station : Texas A&M University.

WALTERS, Timothy N., Lynne Masel WALTERS et Douglas P. STARR, 1994, «After the Highwayman : Syntax and Successful Placement of Press Releases in Newspapers», *Public Relations Review*, vol. 20, n° 4, hiver, pp. 345-356.

WEINER, Richard, 1975, *Professional's Guide to Public Relations Service,*, Richard Weiner Inc., 130 p. + index.

WILCOX, Dennis L., Philipp H. AULT et Warren K. AGEE, 1986, *Public Relations, Strategies and Tactics*, New York, Harper & Row, 645 p.

LISTE DES EXEMPLES

TABLE DES MATIÈRES

Table des matières